書香傳家

毛佩琦書

壬寅仲春

京師近道堂刊

楚辭

第一册

〔戰國〕屈原 等著

崇賢書院 釋譯

北京聯合出版公司

編委會

學術顧問
編纂委員會

書香傳家

書香傳家系列圖書學術顧問

樓宇烈（資深國學名家、北京大學哲學系教授）
閻崇年（著名歷史學家、央視《百家講壇》主講人）
毛佩琦（中國人民大學歷史系教授）
王守常（北京大學哲學系教授）
任德山（人文學者、央視有綫173書畫頻道主講人）
呂宇斐（中國美術學院視覺中國協同創新中心客座教授、研究生導師）
孟憲實（中國人民大學歷史系副教授）
楊朝明（原中國孔子研究院院長、原國際儒學聯合會副理事長）
董　平（浙江大學哲學系教授）
杜保瑞（上海交通大學特聘教授、臺灣大學哲學系教授）
張　辛（人文書法家、北京大學考古文博學院教授）
辛德勇（北京大學中國古代史研究中心教授）
余世存（文化學者、暢銷書作家）

書香傳家系列圖書出版編纂委員會

主編
李　克（崇賢館館長）

叢書題字
毛佩琦（中國人民大學歷史系教授）

裝幀設計
孫世良　周　亮　楊延京

出版編輯委員會
路　茸　王德重　李宏濤　黃玉蘭　譚　爽　張少華

排版製作
趙樂紅　趙軍安　朱　澤

前言

古往今來，很多人在取名字的時候，都喜歡在《詩經》或《楚辭》中尋找靈感，有「男從《楚辭》，女從《詩經》」的說法。在《詩經》中取名字的有我們熟知的唐代宰相杜如晦（風雨如晦，鷄鳴不已），北宋詞人周邦彥（彼其之子，邦之彥矣）等；在《楚辭》中取名字的有我們熟知的當代作家戴望舒（前望舒使先驅兮，後飛廉使奔屬），京劇表演藝術家周信芳（不吾知其亦已兮，苟餘情其信芳）。人們樂於從其中取詞命名，借以表達情操志向和思想追求，不僅在音韵上給人以美感，而且具有「言有盡而意無窮」的意境。

《楚辭》中不僅有很多優美的詩句用來賞讀，還有很多詩句具有人生的哲理，能爲我們的人生引導方向。比如出自《楚辭·卜居》中的「尺有所短，寸有所長」，比如《九章·抽思》中的「善不可外來兮，名不可以虛作」，告誡人們一定要務實內修，不可貪圖虛名。可以說，熟讀《楚辭》，我們終將受益一生。

屈原是戰國時期楚國詩人、政治家，他的一生創作了許多作品，但後世流傳的衹有二十五篇。《楚辭》是屈原在楚地民歌的基礎之上創作的一種新詩體。它的內容包羅萬象，集合了天神鬼怪、遠古歷史、狂怪之士、男女情感等多種題材。《離騷》是屈原最著名的代表作，從漢代開始，《離騷》被尊稱爲「離騷經」，以離騷爲代表的《楚辭》則被稱爲「騷體」。屈原以後，宋玉、賈誼等人「承襲屈賦」創作出許多名篇佳作，漢時劉向將這些騷體詩作編定成集，并命名爲《楚辭》。

作爲千古絕唱，《離騷》以其深刻的思想性和藝術性，矗立於浪漫主義詩歌的頂峰，以一座豐碑的姿態睥睨詩壇。「路漫漫其修遠兮，吾將上下而求索」，是積極上進的心態；「民生各有所樂兮，余獨好修以爲常」，是堅守本心之道；「寧溘死以流亡兮，余不忍爲此態也」是對人格的堅守；「亦余心之所善兮，雖九死其猶未悔」則是對理想的堅定。

《楚辭》一書是我國詩歌史上第一部浪漫主義詩歌總集，後人曾將《楚辭》評爲繼《詩經》之後中國詩歌史上的第二個春天。楚辭是以南方民歌爲基礎發展而來的，「書楚語，作楚聲，紀楚地，名楚物」是其最大的語言特色。《楚辭》集中塑造了一個抒情主人公的形象，大量運用香草、美人等象徵手法，從而開創了我國文學史上「香草美人」這種象徵意義的藝術創作傳統。瑰麗浪漫的表達方式使《楚辭》的世界色彩斑斕，如夢似幻，盡顯南方文化的細膩柔婉。詩中的主人公或駕車乘龍，在月神、風神的護衛下，遨游長空；或鸞鳥開道，雷神駕雲尋求洛水之神，詩文極盡華麗、空靈之美。楚辭打破了以往四言詩的傳統格局，開創了長短不一的抒情句式。這種長短句式使作者浪漫想象的思維發揮得更加自如、靈活，也從形式上更加深了其浪漫的主題，這也是其對於以往詩歌創作的最大突破。

書香傳家系列之《楚辭》，繼承古代傳統工藝，對接歷代版刻精華，采用宣紙印裝形式，原文字體選用清乾隆武英殿版刻書字體，以其獨特藝術性和收藏性，鶴立於信息泛濫時代。本書由畫家、版刻學家孫世良先生親自指導設計，其審美表現氣象非凡、自成一格。書籍整體裝幀選用明代綫裝書形式，同時融入現代設計元素，古樸典雅中有當代審美氣息。每個時代必有自己的經典與審美的呈現，近道堂「書香傳家系列」，集當代學者和藝術家的思想和創意之精華，致力於打造當代經典的珍稀版本，使其傳之後世。

近道堂

辛丑季冬記於京師

目錄

第一冊

離騷 一

九歌 十三

東皇太一 十三

雲中君 十四

湘君 十五

湘夫人 十六

大司命 十七

少司命 十八

東君 十九

河伯 二十

山鬼 二十一

國殤 二十二

禮魂 二十二

天問 二十三

九章 三十四

涉江 三十四

哀郢 三十七

抽思 三十九

懷沙 四十二

思美人 四十五

惜往日 四十七

橘頌 四十九

遠游 五十

卜居 五十六

漁父 五十八

九辯 五十九

第二冊

招魂	六十八
大招	七十六
惜誓	八十三
招隱士	八十六
七諫	八十七
初放	八十七
沈江	八十八
怨世	九十一
怨思	九十四
哀命	九十四
謬諫	九十六
哀時命	九十九
九懷	一〇四
匡機	一〇四
危俊	一〇五
昭世	一〇六
尊嘉	一〇七
思忠	一〇八
陶壅	一〇九
九嘆	一一〇
逢紛	一一〇
怨思	一一三
遠逝	一一五
惜賢	一一八
愍命	一二〇
思古	一二三
遠游	一二五

九思　一二七
逢尤　一二七
怨上　一二九
疾世　一三〇
憫上　一三一
遭厄　一三二
傷時　一三四

朕我也皇美也父死稱考也詩曰右烈考伯庸字也屈原言我父伯庸體有美德以忠輔楚世有令名以及於己

離騷

帝高陽之苗裔兮，朕皇考曰伯庸。
攝提貞於孟陬兮，惟庚寅吾以降。
皇覽揆余初度兮，肇錫余以嘉名。
名余曰正則兮，字余曰靈均。
紛吾既有此內美兮，又重之以脩能。
扈江離與辟芷兮，紉秋蘭以爲佩。
汩余若將不及兮，恐年歲之不吾與。
朝搴阰之木蘭兮，夕攬洲之宿莽。
日月忽其不淹兮，春與秋其代序。
惟草木之零落兮，恐美人之遲暮。
不撫壯而棄穢兮，何不改此度？
乘騏驥以馳騁兮，來吾道夫先路！
昔三后之純粹兮，固衆芳之所在。

雜申椒與菌桂兮，豈維紉夫蕙茝！
彼堯舜之耿介兮，既遵道而得路。
何桀紂之昌被兮，夫唯捷徑以窘步。
惟夫黨人之偷樂兮，路幽昧以險隘。
豈余身之憚殃兮，恐皇輿之敗績！
忽奔走以先後兮，及前王之踵武。
荃不察余之中情兮，反信讒而齎怒。
余固知謇謇之爲患兮，忍而不能捨也。
指九天以爲正兮，夫唯靈脩之故也。
曰黃昏以爲期兮，羌中道而改路。
初既與余成言兮，後悔遁而有他。
余既不難夫離別兮，傷靈脩之數化。
余既滋蘭之九畹兮，又樹蕙之百畝。
畦留夷與揭車兮，雜杜衡與芳芷。

化變也言我竭忠見過非難與君別也傷念君信用讒言志數變易無常操也

冀枝葉之峻茂兮，願俟時乎吾將刈。
雖萎絶其亦何傷兮，哀衆芳之蕪穢。
衆皆競進以貪婪兮，憑不厭乎求索。
羌內恕己以量人兮，各興心而嫉妒。
忽馳騖以追逐兮，非余心之所急。
老冉冉其將至兮，恐脩名之不立。
朝飲木蘭之墜露兮，夕餐秋菊之落英。
苟余情其信姱以練要兮，長顑頷亦何傷。
攬木根以結茝兮，貫薜荔之落蕊。
矯菌桂以紉蕙兮，索胡繩之纚纚。
謇吾法夫前脩兮，非世俗之所服。
雖不周於今之人兮，願依彭咸之遺則。
長太息以掩涕兮，哀民生之多艱。
余雖好脩姱以鞿羈兮，謇朝誶而夕替。

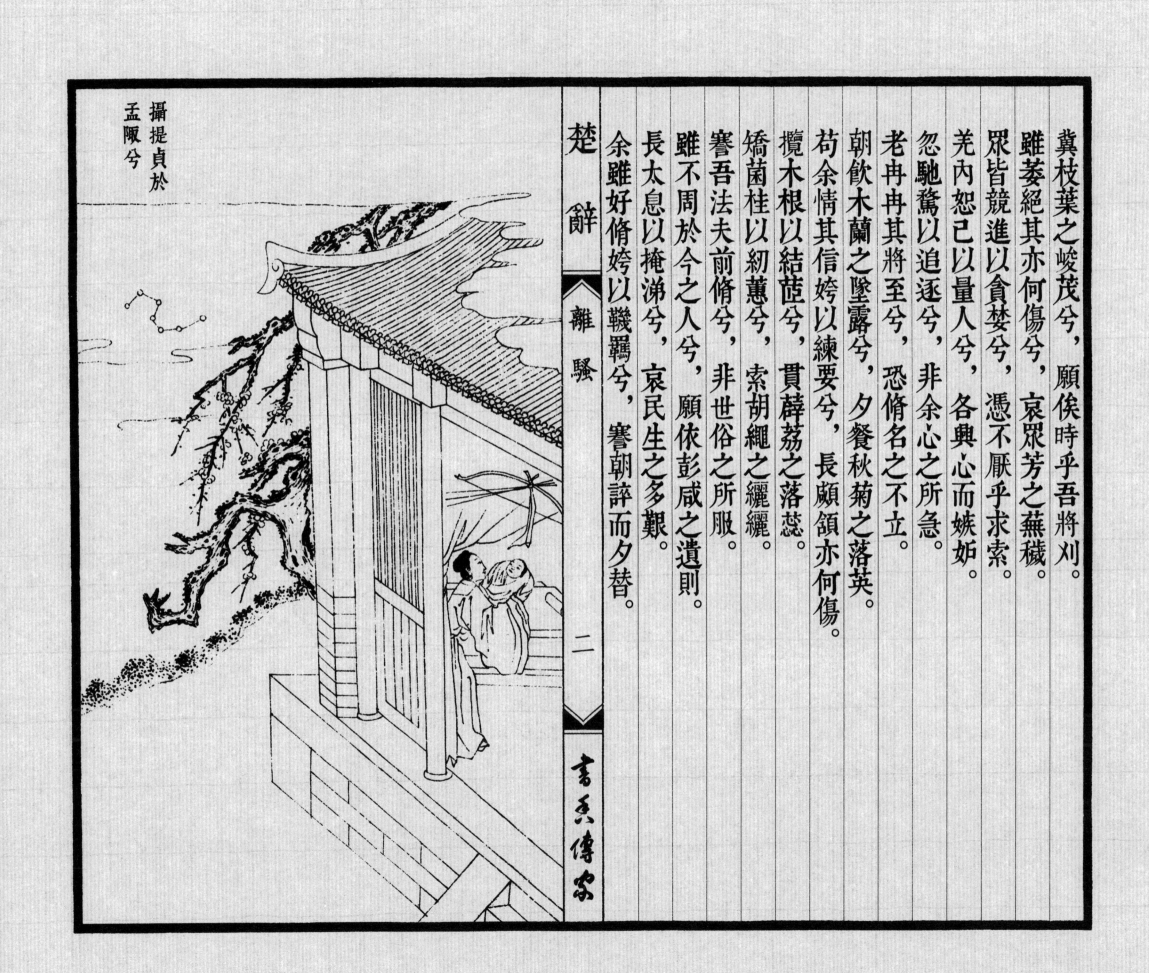

悔恨也言己履行忠信執守清白亦我心中之所美善也雖以見過支解九死終不悔恨

既替余以蕙纕兮，又申之以攬茝。
亦余心之所善兮，雖九死其猶未悔！
怨靈脩之浩蕩兮，終不察夫民心。
衆女嫉余之蛾眉兮，謠諑謂余以善淫。
固時俗之工巧兮，偭規矩而改錯。
背繩墨以追曲兮，競周容以爲度。
忳鬱邑余侘傺兮，吾獨窮困乎此時也。
寧溘死以流亡兮，余不忍爲此態也。
鷙鳥之不群兮，自前世而固然。
何方圜之能周兮，夫孰異道而相安？
屈心而抑志兮，忍尤而攘詬。
伏清白以死直兮，固前聖之所厚。
悔相道之不察兮，延佇乎吾將反。
回朕車以復路兮，及行迷之未遠。

芙蓉蓮華也上曰衣下曰裳言己進不見納猶復制裁芰荷集合芙蓉以爲衣裳被服愈潔脩善益明

步余馬於蘭皋兮，馳椒丘且焉止息。
進不入以離尤兮，退將復脩吾初服。
製芰荷以爲衣兮，集芙蓉以爲裳。
不吾知其亦已兮，苟余情其信芳。
高余冠之岌岌兮，長余佩之陸離。
芳與澤其雜糅兮，唯昭質其猶未虧。
忽反顧以游目兮，將往觀乎四荒。
佩繽紛其繁飾兮，芳菲菲其彌章。
民生各有所樂兮，余獨好脩以爲常。
雖體解吾猶未變兮，豈余心之可懲！
女嬃之嬋媛兮，申申其詈予。
曰鯀婞直以亡身兮，終然殀乎羽之野。
汝何博謇而好脩兮，紛獨有此姱節？
薋菉葹以盈室兮，判獨離而不服。

服服事也言人臣誰有行仁義而不可任用誰有不行信義而可服事者乎言人非義則德不立非善則行不成

眾不可戶說兮，孰云察余之中情？
世並舉而好朋兮，夫何煢獨而不予聽？
依前聖以節中兮，喟憑心而歷茲。
濟沅湘以南征兮，就重華而陳詞。
啓《九辯》與《九歌》兮，夏康娛以自縱。
不顧難以圖後兮，五子用失乎家巷。
羿淫游以佚畋兮，又好射夫封狐。
固亂流其鮮終兮，浞又貪夫厥家。
澆身被服強圉兮，縱欲而不忍。
日康娛而自忘兮，厥首用夫顛隕。
夏桀之常違兮，乃遂焉而逢殃。
后辛之菹醢兮，殷宗用而不長。
湯禹儼而祗敬兮，周論道而莫差。
舉賢而授能兮，循繩墨而不頗。
皇天無私阿兮，覽民德焉錯輔。
夫維聖哲以茂行兮，苟得用此下土。
瞻前而顧後兮，相觀民之計極。
夫孰非義而可用兮，孰非善而可服？
阽余身而危死兮，覽余初其猶未悔。
不量鑿而正枘兮，固前脩以菹醢。
曾歔欷余鬱邑兮，哀朕時之不當。
攬茹蕙以掩涕兮，沾余襟之浪浪。
跪敷衽以陳辭兮，耿吾既得此中正。
駟玉虬以乘鷖兮，溘埃風余上征。
朝發軔於蒼梧兮，夕余至乎縣圃。
欲少留此靈瑣兮，日忽忽其將暮。
吾令羲和弭節兮，望崦嵫而勿迫。
路曼曼其脩遠兮，吾將上下而求索。

總結也扶桑日所拂木也淮南子言日出暘谷浴於咸池拂於扶桑爰始將行是謂明我乃往至東極之野飲馬於咸池與日俱浴以潔己身結我車轡於扶桑以留日行幸得不老延年壽

飲余馬於咸池兮，總余轡乎扶桑。
折若木以拂日兮，聊逍遥以相羊。
前望舒使先驅兮，後飛廉使奔屬。
鸞皇爲余先戒兮，雷師告余以未具。
吾令鳳鳥飛騰兮，繼之以日夜。
飄風屯其相離兮，帥雲霓而來御。
紛總總其離合兮，斑陸離其上下。
吾令帝閽開關兮，倚閶闔而望予。
時曖曖其將罷兮，結幽蘭而延佇。
世溷濁而不分兮，好蔽美而嫉妒。
朝吾將濟於白水兮，登閬風而緤馬。
忽反顧以流涕兮，哀高丘之無女。
溘吾游此春宮兮，折瓊枝以繼佩。
及榮華之未落兮，相下女之可詒。

吾令豐隆乘雲兮，求宓妃之所在。
解佩纕以結言兮，吾令蹇脩以爲理。
紛總總其離合兮，忽緯繣其難遷。
夕歸次於窮石兮，朝濯髮乎洧盤。
保厥美以驕傲兮，日康娱以淫游。
雖信美而無禮兮，來違棄而改求。
覽相觀於四極兮，周流乎天余乃下。
望瑶臺之偃蹇兮，見有娀之佚女。
吾令鴆爲媒兮，鴆告余以不好。
雄鳩之鳴逝兮，余猶惡其佻巧。
心猶豫而狐疑兮，欲自適而不可。
鳳凰既受詒兮，恐高辛之先我。
欲遠集而無所止兮，聊浮游以逍遥。
及少康之未家兮，留有虞之二姚。

爾女也懷思也宇居也言何所獨無賢芳之君何必思故居而不去也此皆靈氛之詞

理弱而媒拙兮，恐導言之不固。
世溷濁而嫉賢兮，好蔽美而稱惡。
閨中既以邃遠兮，哲王又不寤。
懷朕情而不發兮，余焉能忍而與此終古？
索藑茅以筳篿兮，命靈氛爲余占之。
曰兩美其必合兮，孰信脩而慕之？
思九州之博大兮，豈惟是其有女？
曰勉遠逝而無狐疑兮，孰求美而釋女？
何所獨無芳草兮，爾何懷乎故宇？
世幽昧以昡曜兮，孰云察余之善惡？
民好惡其不同兮，惟此黨人其獨異！
戶服艾以盈要兮，謂幽蘭其不可佩。
覽察草木其猶未得兮，豈珵美之能當？
蘇糞壤以充幃兮，謂申椒其不芳。

欲從靈氛之吉占兮，心猶豫而狐疑。
巫咸將夕降兮，懷椒糈而要之。
百神翳其備降兮，九疑繽其並迎。
皇剡剡其揚靈兮，告余以吉故。
曰勉昇降以上下兮，求榘矱之所同。
湯、禹嚴而求合兮，摯、咎繇而能調。
苟中情其好脩兮，又何必用夫行媒？
說操築於傅巖兮，武丁用而不疑。
呂望之鼓刀兮，遭周文而得舉。
甯戚之謳歌兮，齊桓聞以該輔。
及年歲之未晏兮，時亦猶其未央。
恐鵜鴂之先鳴兮，使夫百草爲之不芳。
何瓊佩之偃蹇兮，衆薆然而蔽之。
惟此黨人之不諒兮，恐嫉妒而折之。

沫已也言己所行芬芳誠難虧歇至今猶未已也

時繽紛以變易兮，又何可以淹留？
蘭芷變而不芳兮，荃蕙化而爲茅。
何昔日之草兮，今直爲此蕭艾也？
豈其有他故兮，莫好脩之害也！
余以蘭爲可恃兮，羌無實而容長。
委厥美以從俗兮，苟得列乎衆芳。
椒專佞以慢慆兮，樧又欲充夫佩幃。
既干進而務入兮，又何芳之能祗？
固時俗之流從兮，又孰能無變化？
覽椒蘭其若茲兮，又況揭車與江離？
惟茲佩之可貴兮，委厥美而歷茲。
芳菲菲而難虧兮，芬至今猶未沫。
和調度以自娛兮，聊浮游而求女。
及余飾之方壯兮，周流觀乎上下。

靈氛既告余以吉占兮，歷吉日乎吾將行。
折瓊枝以爲羞兮，精瓊爢以爲粻。
爲余駕飛龍兮，雜瑤象以爲車。
何離心之可同兮，吾將遠逝以自疏。
邅吾道夫崑崙兮，路脩遠以周流。
揚雲霓之晻藹兮，鳴玉鸞之啾啾。
朝發軔於天津兮，夕余至乎西極。
鳳凰翼其承旂兮，高翺翔之翼翼。
忽吾行此流沙兮，遵赤水而容與。
麾蛟龍以梁津兮，詔西皇使涉予。
路脩遠以多艱兮，騰衆車使徑待。
路不周以左轉兮，指西海以爲期。
屯余車其千乘兮，齊玉軑而並馳。
駕八龍之蜿蜿兮，載雲旗之委蛇。

皇皇天也赫戲光明之貌

抑志而弭節兮，神高馳之邈邈。
奏《九歌》而舞《韶》兮，聊假日以媮樂。
陟昇皇之赫戲兮，忽臨睨夫舊鄉。
僕夫悲余馬懷兮，蜷局顧而不行。
亂曰：已矣哉！
國無人莫我知兮，又何懷乎故都？
旣莫足與爲美政兮，吾將從彭咸之所居！

譯文

我原本是上古帝王高陽氏的後裔啊，我那已經死去的父親就名叫伯庸。正當寅年又是寅月啊，就在庚寅之日我降生。父親看了我初生的器宇啊，依卦兆賜予我嘉名。給我取的大名就叫作正則，給我取的表字叫靈均。我本來就擁有那麼多美好的稟賦啊，又加上不斷脩飾的才能。披上芬芳的江離和幽香的白芷啊，穿上編製的蘭草作爲佩飾。時光如流我總是追趕不上啊，惟恐年歲匆匆流逝不再將我等。清晨裏我拔取了山南那去皮不死的木蘭啊，傍晚時分我攬取沙洲的經冬不枯的宿莽。日月飛馳從未久留啊，春去秋來亘古不變。想到草木難免凋謝零落啊，擔心美人終歸也會遲暮。何不趁年壯拋棄污穢啊，何不改變如此陳舊的法度？乘上駿馬迅速疾馳啊，來吧！我會在前面給你引路！

過往的三代裏君德皆純美無瑕啊，本來就有群芳的環繞輔佐。不衹是用花椒和菌桂啊，豈衹是佩戴上白芷和蕙草。那唐堯虞舜的光明正直啊，遵循正道就步入坦途。夏桀商紂何等狂亂放縱啊，因貪圖捷徑而寸步難行。結黨的小人苟且偷生貪求安樂啊，國家的前途暗淡而就要傾覆了。我哪裏是害怕自己遭到禍殃啊，我所擔心的是君王的車乘就要傾覆。匆匆奔走在君王的前後啊，就是想使您跟上前代聖君的腳步。君王您不體察我的苦心啊，相反聽信了那些讒言而對我暴怒。我誠然明白耿直進言會招來禍患啊，縱使心中想忍卻也一定要說。上指蒼天來作證啊，那是爲了君主的緣故。當初以黃昏作爲約期啊，可是中途就改變了主意。那時候與我有過眞誠的話語啊，到後來卻反悔有了其他的企圖。原本我並不怕與你離別啊，可是我痛惜君王你反復無常意志不堅。

我已經種植了蘭花九畹啊，又培育了蕙草百畝。分壟栽種了留夷和揭車啊，還間雜種植着杜衡與芳芷。多麼希望它們葉茂而枝盛，等到成熟的季節我就收割。縱然是枯萎凋零又何必悲傷啊，傷心的是衆芬芳污穢變質。衆人都競相鑽營貪求財物啊，貪得無厭的追逐從不滿足。爲什麼總是用自己的卑鄙去估量別人啊，各懷鬼胎相互嫉妒。匆匆奔走追名逐利啊，那不是我心志追求所急。衰老漸漸地就要來臨啊，擔心的是脩潔的美名無法得到確立。清晨啜木蘭花上欲墜的香露啊，傍晚採食秋菊初綻的花瓣。衹要我的內心誠然美好專一啊，縱使吃不飽而肌瘦憔悴又有什麼關係？採擷木蘭根來編結白芷啊，再穿結上香草薜荔落下的花蕊。舉起香木菌桂來綴上蕙草啊，胡繩編結的繩索美好且又脩長。我一心效法前代的脩潔聖賢啊，這不是世俗之人認可的衣冠。雖與當今之人做人的口味不相符合，我順從於彭咸留下的典範。長嘆息，擦乾灑下的熱淚啊，哀傷人生的道路是這樣的艱險。我雖然潔身自好啊，早晨進諫晚上就遭貶。我雖把蕙草的香囊拋棄啊，我又攬取芳芷當作我的佩幃。衹要我的內心是美善的啊，就是爲這死上九回也肯定不後悔。我責怨君王荒唐糊塗啊，終究不能省察我的善良心腸。衆女嫉妒我蠶蛾之眉的美貌啊，造謠詆毀我過於淫蕩。世俗本來就是善於投機取巧啊，違背規矩而改變舉措。背叛規矩法度追隨邪路啊，競相苟合取容奉爲做人的準則。我是那樣憂憤而又心神不寧啊，衹有我在這個時代困頓難行。就算猝然死去順水漂流啊，我也不肯做出同樣邪惡之態。雄鷹一類的猛鳥決不與凡鳥爲伍啊，這樣的事情從來就是如此。怎麼可以讓方圓吻合在一起啊，誰又志趣不同而相安無事？可以委屈心意壓抑志向啊，容忍強加的罪名但把恥辱去除。伏身於清白之志和死於直道啊，這都是前代聖賢所提倡和贊許的。

悔恨觀察道路不夠審慎啊，躊躇不前我要回返。掉轉我的車乘折回原路啊，趁着迷路尚還不算太遠。騎馬漫步在長滿蘭草的水邊啊，奔馳休息於長滿花椒的小丘上。前去不被接納反而招致罪名啊，退下來再脩飾我當初的舊服。裁製荷葉做成上衣啊，採集荷花做成下裳。不被瞭解也就算了吧，祇要我的內心誠然芬芳。把我的切雲冠高高上聳，把我的玉佩打造得長長。芬芳和污濁雜糅在一起啊，唯獨那潔白的本質不會損傷。忽然回首放眼眺望啊，將去觀覽遙遠的四方。我的佩帶繽紛而脩飾完美啊，芳香馥郁更加昭彰。人生的追求和志向各不相同啊，祇有我喜好脩潔習以爲常。就算是把我的身體肢解也不會改變啊，怎能使我的心思受到挫傷。

我的密友女嬃纏綿不捨啊，三番五次地把我斥責：鯀剛直而總忘記自身的危險啊，最終慘死在羽山的郊野。你何必過於忠直又好脩潔啊，偏偏富有如此的美好節操？惡草菉葹堆滿了屋子啊，爲什麼你偏要與衆不同不肯服用？衆人那麼多怎能一個個地說明啊，誰能體察我們心之衷情？世上喜好互相吹捧和結黨啊，你爲何堅守孤獨我相勸也不聽？依照前代聖賢的教誨堅持己理啊，長長嘆息憤懣在胸直到如今。渡過沅湘之水再向南行啊，走近帝舜之靈表白我的情衷：夏啓從上天那裏偷來了樂章啊，過分地追求安逸自我放縱。不顧災難也不做長遠打算啊，五子叛亂最終失去家園。羿過分迷戀於田獵啊，又喜好射殺肥大的狐狸。本來淫逸沒有好下場啊，寒浞霸占了羿的妻室做了丈夫。寒浞之子澆依仗力大無窮啊，放縱情欲不能克制。每天都沈浸在淫樂中忘乎所以啊，他的頭顱被少康所斬。夏桀違背做君王的正道啊，最終遭到了滅國的禍殃。紂王無道亂用酷刑啊，殷代的宗祀因此斷絕不能久長。湯、禹畏天而又尊重人才啊，周之文武講論道義絲毫不錯。推舉而又授權給賢良啊，遵循法度走上坦途而沒有偏頗。上天公正不講偏愛私情啊，觀察人的品德作出立君的裁決。祇有那深具美德的聖賢啊，養民天下的權力應當獲得。細察往昔環視將來的成敗啊，審視人們對是非成敗思考的準則。哪有不義做法而可以采取的啊，哪有不做善事可以實行的？即使身處險境瀕臨死亡啊，回顧初衷我也毫不後悔。不量一下斧孔就要插進斧柄啊，這是前代賢人遭難的原因。不斷抽泣我抑鬱又惆悵啊，痛哀自己沒有遇到好時光。拿起柔軟的蕙草揩拭熱泪啊，泪水簌簌打濕了我的衣裳。

向大舜鋪開前襟長跪陳詞啊，我得此中正之道而心中光明。駕着玉龍乘上彩鳳啊，忽然風起我向天上飛騰。清晨從蒼梧山啓程啊，傍晚就到達崑崙山上的縣圃。本想在僊門前稍作停留啊，可惜時光匆匆天色將暮。我讓羲和停車慢行啊，望着崦嵫山我擔心日落。前途漫漫又遙遠啊，我將上天入地去追尋求索。讓我和馬在咸池飲足了水啊，把繮繩拴在神樹扶桑。折下若木一枝揩拭日光啊，姑且在這裏徘徊倘佯。派月神望舒爲我引導啊，還有風神飛廉後續相連。鳳鳥爲我在前面戒備開道啊，雷師豐隆卻告訴我還沒有準備好。我又叫鳳鳥展翅高飛啊，開辟前路日夜兼程。旋風突起忽聚忽離啊，率領虹霞前來相迎。紛紜飄忽時聚時散啊，色彩斑斕乍離乍合。我讓帝宮的門衛打開天門啊，他卻倚着天門望着我發愣。日光漸漸暗了一天就要過去啊，編結着幽蘭在這裏久等。世道如此渾濁善惡不分啊，總是嗜好壓制賢能心生妒忌。清晨我將渡過神泉白水啊，登上閬風來拴馬。猛然回頭潸然泪下啊，哀嘆高丘之上沒有知己。忽然漫步到青帝的春宮啊，攀折玉樹的花枝補續佩飾。趁着摘取的瓊花尚未凋落啊，察看下界的女子可饋贈給誰。我讓雷師豐隆乘雲周行啊，尋找神女宓妃的住處。解下香佩作爲信物饋贈啊，又令賢人蹇脩前去說媒。宓妃態度曖昧忽即忽離啊，乖戾的脾氣難以遷就。夜晚回到窮石止宿啊，清晨又沐浴在洧盤。自恃美貌又如此傲慢啊，成天尋歡作樂自恣戲游。誠然貌美但卻驕傲無禮啊，決意放棄她另尋追求。縱目遠眺遙遠的四方啊，遍游上天我又回到大地。遠望美玉壘成高聳的瑤臺啊，看見有娀氏美女簡狄。我要鴆鳥爲我做媒人啊，歸來卻欺騙我說她無意。雄鳩呱呱亂叫飛去替我說媒啊，我又厭惡它多言失於輕佻。心裏猶豫疑惑無法決斷啊，想親自前往又與禮法不合。鳳鳥已經帶着聘禮準備前去啊，恐怕帝嚳迎娶簡狄比我領先。想遠走高飛又不知去哪裏啊，聊且逍遙等待觀望。趁着少康還沒有成家啊，還留下有虞氏兩位阿嬌。媒人們無能又笨拙啊，擔心傳達我的話很難奏效。世上如此渾濁又嫉妒賢才啊，偏好遮蔽美善而稱贊邪惡。宮中之門很深遠啊，本來明智的君王又不省悟。滿懷忠情不得抒發啊，我如何纔能隱忍了卻此生？

索取靈草和竹片啊，請靈氛爲我占卜推算。靈氛說：「兩美相遇必然結合啊，哪有誠然脩美之人不被人思念？想天下如此寬闊廣博啊，難道衹有這裏纔有嬌娥？」他又說：「自勉遠逝不要猶豫啊，求美的誰會把你放棄？什麼地方沒有芬芳的香草啊，你何必如此懷戀故里？」當今之世黑暗混亂啊，誰能考察我是善是惡？世人的好惡各不相同啊，衹有那群黨人特別古怪。個個把臭艾掛滿腰帶啊，反說幽蘭惡臭不可佩戴。識別草木的香臭尚且做不到啊，辨別美玉的重任怎能擔當？取來糞土充滿了香囊啊，硬說芬芳的申椒毫不芬芳。想要聽從靈氛的吉祥占卜啊，可心中還是猶豫遲疑。巫咸傍晚將要降臨下界啊，懷抱香椒精米把他迎接。衆神飛臨遮天蔽日一起下降啊，九嶷山的衆神也紛紛光臨。皇天揚靈光芒四射啊，把吉祥的緣故告訴我。說：俯仰沈浮以求自勉啊，追求法度相似纔能志同道合。商湯和夏禹敬承天道求其匹合啊，因爲能得到伊尹、皋陶的輔佐。如果內心確實追求脩好啊，又何必再請媒人說合？傳說曾是傅巖的泥瓦匠啊，殷武丁重用他卻毫不遲疑。姜尚本是朝歌的屠夫啊，遇到文王就得到推舉。甯戚喂牛而叩角商歌啊，齊桓一聞就準備召用心中歡喜。趁着年華尚未衰老啊，趁着時光尚且還未完盡。擔心子規過早地啼鳴啊，使百草芬芳喪盡而凋零。這玉佩是何等的美盛非凡啊，衆小人紛紛把它遮掩。想到那些黨人險詐毫無誠信啊，恐怕出於嫉妒而要損毀它。時世紛亂變化無常啊，我又怎麼可以留？蘭和芷都變質而不再芬芳啊，荃與蕙也變成了茅草。爲什麼從前芳香的花草啊，如今簡直成了艾草白蒿？難道說還有其他什麼緣故嗎？都因爲不好脩潔不要德行噢！我本以爲蘭是可以依靠的啊，可惜它卻華而不實徒有外表。放棄它內在的美德順從流俗啊，僥幸地擠進衆芳來過市招搖。椒專橫讒佞而又傲慢啊，卻擠進香囊徒似香草。一味追求私利鑽營攀援啊，又如何知道敬重芬芳？世俗本來就是隨波逐流啊，又有哪一個能夠不變異？眼見花椒幽蘭尚且如此啊，又何況那揭車和江離？唯有這一玉佩最爲可貴啊，可它的美德被拋棄直到如今。香氣勃勃毫不虧損啊，散發着芬芳至今猶存。調節心態執守忠貞自我寬娛啊，暫且徐徐漫游尋找志同道合者。趁着我的佩飾還鮮艷，走遍四方上下去周游。

靈氛已把占卜告訴我啊，選定吉日良辰我將要遠航。折下玉樹枝作爲我的佳肴啊，碾成瓊玉的玉屑做乾糧。飛龍爲我把車駕啊，美玉象牙裝點我的行車。離心離德的人怎能共處啊，我將遠游自疏不再復合。轉道我去往崑崙山啊，道路漫長四處游歷。昇起雲旗遮蔽天日都暗淡啊，響起鸞鈴啾啾大隊車馬都出發。清晨我從天河的渡口出發啊，傍晚我就到達西極之天涯。鳳鳥紛飛舉着龍虎大旗啊，高高翱翔在太空舒展着羽翼。匆匆我路過無盡的流沙之地啊，沿着崑崙東南的赤水徘徊猶豫。指揮蛟龍用它的身軀搭橋渡河啊，命令西皇少帝接我渡去。道路漫長遙遠充滿艱辛啊，飛騰的衆車乘都來侍衛。路過不周山再向左轉啊，約定西海在那裏駐足。屯集車輛有一千乘啊，排列整齊將並駕向前行。乘上八龍駕的車逶迤行進啊，飄動的空中雲旗隨風捲起。按捺我的情緒緩緩徐行啊，神氣卻高飄遠去莫能抑。奏起《九歌》跳起《韶》舞啊，暫借這閑暇時光消憂歡娛。朝陽昇起燦爛輝煌啊，刹那間俯視人寰看見了我的故鄉。車夫悲痛我的馬也思戀啊，卧身蜷曲再不能向前。

尾聲：算了吧！國中沒有賢人瞭解我啊，我又何必懷念那故國呢？既然無人能與我共行美政啊，我將追隨彭咸精神而長存！

九歌

東皇太一

吉日兮辰良，穆將愉兮上皇。

撫長劍兮玉珥，璆鏘鳴兮琳琅。

瑤席兮玉瑱，盍將把兮瓊芳。

璆琳琅皆美玉名也鏘佩聲也

東皇太一

蕙肴蒸兮蘭藉，奠桂酒兮椒漿。揚枹兮拊鼓，疏緩節兮安歌，陳竽瑟兮浩倡。靈偃蹇兮姣服，芳菲菲兮滿堂。五音紛兮繁會，君欣欣兮樂康。

譯文　吉利日子美好時光，將要恭敬地祭太一上皇。手握長劍玉飾劍柄，佩玉琳琅鏘鏘作響。華美潔白的鋪席玉鎮壓，獻上如玉鮮花郁郁芬芳。蕙草包裹祭肉蘭草襯墊，進上桂花酒和椒漿。高舉鼓槌擊起鼓，節奏疏緩輕歌飛揚，吹竽彈瑟放聲歌唱。神靈華服徘徊雲端，香氣濃郁飄滿廳堂。五音紛紛相交響，上皇安樂又安康。

君謂雲神

雲中君

浴蘭湯兮沐芳，華采衣兮若英。
靈連蜷兮既留，爛昭昭兮未央。
謇將憺兮壽宮，與日月兮齊光。
龍駕兮帝服，聊翱游兮周章。

周旋也言己所居在湖澤之中衆鳥舍止我之屋上流水周旋己之堂下自傷與鳥獸魚鱉爲伍

靈皇皇兮既降，猋遠舉兮雲中。
覽冀州兮有餘，橫四海兮焉窮。
思夫君兮太息，極勞心兮忡忡。

譯文 沐浴着蘭草做成的香湯，身着如鮮花般絢爛的衣裳。靈巫妖嬌曼舞徘徊天上，神光燦爛啊永遠輝煌。流連安詳在雲神宮殿，和日月一同煥發光芒。神龍駕車身披天帝的服裝，姑且遨游在天地四方。靈光煌煌已從天降，又迅捷高飛向天上。遍覽九州啊餘光依然明亮，寬廣的四海啊無邊無疆。思念起雲神啊我長聲嘆息，滿懷幽思啊心神惶惶。

湘君

君不行兮夷猶，蹇誰留兮中洲？
美要眇兮宜脩，沛吾乘兮桂舟。
令沅湘兮無波，使江水兮安流。
望夫君兮未來，吹參差兮誰思？

駕飛龍兮北征，邅吾道兮洞庭。
薜荔柏兮蕙綢，蓀橈兮蘭旌。
望涔陽兮極浦，橫大江兮揚靈。
揚靈兮未極，女嬋媛兮爲余太息！
橫流涕兮潺湲，隱思君兮陫側。
桂棹兮蘭枻，斫冰兮積雪。
採薜荔兮水中，搴芙蓉兮木末。
心不同兮媒勞，恩不甚兮輕絕。
石瀨兮淺淺，飛龍兮翩翩。
交不忠兮怨長，期不信兮告余以不閑。
朝騁騖兮江皋，夕弭節兮北渚。
鳥次兮屋上，水周兮堂下。
捐余玦兮江中，遺余佩兮澧浦。
採芳洲兮杜若，將以遺兮下女。

時不可兮再得，聊逍遥兮容與。

譯文 湘君你猶豫遲遲不動，爲誰停留在水中沙洲？我美好容貌又善打扮，順水疾行啊乘着桂舟。讓沅水湘水不起波濤，叫滾滾長江平穩緩流。夫君不來我望穿秋水，吹起悠悠洞簫把誰候？駕着快舟啊向北方行，改變了航向轉道洞庭。薜荔爲簾芳蕙做帳，香蓀飾槳蘭草飾旗旌。眺望涔水遥遠的水岸，横渡大江啊揚帆前行。揚帆前行啊飛速不停，侍女惋惜爲我嘆息！涕泪俱下滾滾流淌，思念湘君悲傷又失意。桂木做槳蘭做船舷，分開積雪啊衝破層冰，水裏採薜荔，樹梢折芙蓉。情感相背媒人徒勞，恩愛不深輕易絶情。石灘上湍水疾流匆匆，龍船疾馳如飛前行。相交不誠怨恨萌生，相約失信卻說沒空。清晨駕車直馳江邊，傍晚停船在北邊沙渚。衹見鳥兒棲息在屋檐上，還有流水環繞堂階嘩嘩流淌。抛棄我玉玦向那江中，扔掉我玉佩澧水岸邊。我採集杜若在那芳洲，還想寄情饋贈給你的侍女。相會的美好時光不可再得，姑且逍遥寬心等待徘徊。

湘夫人

帝子降兮北渚，目眇眇兮愁予。
嫋嫋兮秋風，洞庭波兮木葉下。
登白薠兮騁望，與佳期兮夕張。
鳥何萃兮蘋中？罾何爲兮木上？
沅有茝兮澧有蘭，思公子兮未敢言。
荒忽兮遠望，觀流水兮潺湲。
麋何食兮庭中？蛟何爲兮水裔？
朝馳余馬兮江皋，夕濟兮西澨。
聞佳人兮召予，將騰駕兮偕逝。
築室兮水中，葺之兮荷蓋。
蓀壁兮紫壇，播芳椒兮成堂。
桂棟兮蘭橑，辛夷楣兮藥房。
罔薜荔兮爲帷，擗蕙櫋兮既張。

白玉兮爲鎮，疏石蘭兮爲芳。
芷葺兮荷屋，繚之兮杜衡。
合百草兮實庭，建芳馨兮廡門。
九嶷繽兮並迎，靈之來兮如雲。
捐余袂兮江中，遺余褋兮澧浦。
搴汀洲兮杜若，將以遺兮遠者。
時不可兮驟得，聊逍遥兮容與。

譯文　帝堯的女兒降臨在北渚，眺望不見啊我心中憂傷。陣陣秋風輕輕吹，吹皺洞庭湖水黃葉飄飛。踏着白薠極目遠望，和佳人約會傍晚張設帷帳。鳥爲何聚集在蘋草之上？魚網爲何投在樹梢上？沅水有白芷澧水有蘭，暗戀着公主我不敢言。迷迷茫茫遠處眺望，衹見長長流水緩緩淌。麋鹿爲何覓食於庭院？蛟龍爲何在淺水邊？清晨我駕車馳騁在江畔，傍晚我渡河到西邊水涯。聽説佳人在將我召喚，將讓你帶路啊我飛騰的車駕。我要在北渚水中築起宮殿，用芬芳荷葉覆蓋住屋頂。用蓀草做牆紫貝鋪堂，以椒泥塗牆散發幽幽清香。桂木做棟木蘭做椽，辛夷爲梁白芷妝房。編結薜荔香草織成帷帳，分結蕙草做一張高堂。白玉作那席上鎮壓之物，石蘭的幽香在屋中蕩漾。香芷塗在牆上荷葉搭蓋房屋，繚繞於屋子的是杜衡芳香。彙集的各種香草滿庭芳，飄香遠聞郁結門廊。九嶷山的衆神紛紛來迎，諸神來臨有如漫天的雲。向那江水中抛棄我的衣袖，把我的單衣扔在澧水之濱。我採取沙洲裏那杜若，寄情饋贈愈走愈遠的人。相會的美好時光不會再有，姑且自我寬心等待徘徊。

大司命

陰主殺陽主生言司命常乘天清明之氣御持萬民死生之命也

廣開兮天門，紛吾乘兮玄雲。
令飄風兮先驅，使涷雨兮灑塵。
君迴翔兮以下，逾空桑兮從女。
紛總總兮九州，何壽夭兮在予！
高飛兮安翔，乘清氣兮御陰陽。
吾與君兮齊速，導帝之兮九坑。

靈衣兮被被，玉珮兮陸離。
壹陰兮壹陽，眾莫知兮余所為。
折疏麻兮瑤華，將以遺兮離居。
老冉冉兮既極，不寖近兮愈疏。
乘龍兮轔轔，高馳兮沖天。
結桂枝兮延佇，羌愈思兮愁人。
愁人兮奈何！願若今兮無虧。
固人命兮有當，孰離合兮可為？

譯文　敞開天宮的大門，我駕車乘坐着天邊的玄雲。命令旋風在前面為我開路，讓暴雨洗滌濁世的灰塵。神靈空中盤旋飛翔從天而降，越過空桑山我緊跟其翱翔。林林總總的九州眾生，你們的生死總在我掌中！神靈你高飛徐徐翱翔，乘着沖和清氣駕馭陰陽。我追隨神靈並駕齊驅，引導天帝往觀九崗山脊。神靈所披的雲衣長長飄逸，他們身佩的寶玉璀璨熠熠。千變萬化的是陰陽二氣，誰也不理解我做的事情。折下神麻那如玉僊花，我將送給那遠離的神靈。衰老之年漸漸就要到來，卻要遠去不再親近。神乘坐龍車聲隆隆，高高地飛馳猛騰空。採結桂枝長久地等待，思念越深越使人愁。愁心綿綿又能如何？希望像今天這般永無虧損。人生遭遇本來不同，悲歡離合哪是人力所能改？

少司命

秋蘭兮麋蕪，羅生兮堂下。
綠葉兮素枝，芳菲菲兮襲予。
夫人自有兮美子，蓀何以兮愁苦？
秋蘭兮青青，綠葉兮紫莖。
滿堂兮美人，忽獨與余兮目成。
入不言兮出不辭，乘回風兮載雲旗。
悲莫悲兮生別離，樂莫樂兮新相知。
荷衣兮蕙帶，倏而來兮忽而逝。
夕宿兮帝郊，君誰須兮雲之際？

九天八方中央也言司命乃昇九天之上撫持彗星欲掃除邪惡輔仁賢也

與女沐兮咸池，晞女髮兮陽之阿。
望美人兮未來，臨風怳兮浩歌。
孔蓋兮翠旍，登九天兮撫彗星。
竦長劍兮擁幼艾，蓀獨宜兮爲民正。

譯文 秋天的蘭草芬芳的蘪蕪，羅列而生繁茂堂前。綠綠的葉子素白的花，飄飄的幽香沁人心脾。世上的人自有美好的兒女，蓀草又何必心裏愁悶？秋天的蘭草鬱鬱葱葱，綠色的葉子紫色的莖。滿廳堂都是美麗的人，偏偏衹與我眉目傳情。來時不言語離去不辭別，乘着旋風高飛載着雲旗。悲莫悲過於活生生的別離，樂莫樂過於新相交的知己。荷葉的上衣蕙草的腰帶，你匆匆來到又匆匆離去。夜晚你歇息在天國的郊外，你在雲端把誰等待？願與你沐浴在天上咸池，曬乾你的頭髮在旭日東昇時。盼望你卻總不到來，面對着狂風失意放歌。孔雀羽做車蓋翡翠毛做旗，登上九天去掃除凶穢災星。高舉着寶劍懷抱着幼童，蓀草最適合主宰萬民的生命。

東君

暾將出兮東方，照吾檻兮扶桑。
撫余馬兮安驅，夜皎皎兮既明。
駕龍輈兮乘雷，載雲旗兮委蛇。
長太息兮將上，心低徊兮顧懷。
羌聲色兮娛人，觀者憺兮忘歸。
緪瑟兮交鼓，簫鐘兮瑤簴。
鳴篪兮吹竽，思靈保兮賢姱。
翾飛兮翠曾，展詩兮會舞。
應律兮合節，靈之來兮蔽日。
青雲衣兮白霓裳，舉長矢兮射天狼。
操余弧兮反淪降，援北斗兮酌桂漿。
撰余轡兮高馳翔，杳冥冥兮以東行。

譯文 旭日就要昇起在東方，照耀我的欄杆木扶桑。拍着我的馬緩

言崑崙之中多奇怪珠玉之樹觀而視之不知日暮言己心樂志說忽忘還歸也

緩前行，夜色皎皎東方泛起亮。駕着龍車滾滾轟鳴，樹起的雲旗高高飄揚。你長嘆一聲將要上天去，心中躊躊眷戀那故鄉。昇騰中的樂舞多麼令人沈醉，瞻望的人群迷戀忘了歸回。調好瑟弦擂起鼓，敲響的鐘聲讓座架晃。吹起了篪兒奏起了竽，心中不忘神巫的美善從容。舞姿翩翩像翠鳥展翅飛翔，唱誦起詩歌同隨舞。應着旋律和節拍，神靈降臨遮蔽了光。青雲上衣白霓裙裳，舉起長箭射殺天狼。手持天弓回身降落，舉起北斗斟滿桂花酒漿。抓緊馬的繮繩高高飛馳，穿過幽深昏暗奔向東方。

河伯

與女游兮九河，衝風起兮橫波。
乘水車兮荷蓋，駕兩龍兮驂螭。
登崑崙兮四望，心飛揚兮浩蕩。
日將暮兮悵忘歸，惟極浦兮寤懷。
魚鱗屋兮龍堂，紫貝闕兮朱宮，靈何爲兮水中？

河伯

乘白黿兮逐文魚，與女游兮河之渚，流澌紛兮將來下。
子交手兮東行，送美人兮南浦。
波滔滔兮來迎，魚鄰鄰兮媵予。

【譯文】要與你一同游九河，暴風掀起了層層浪波。以水做車以荷葉爲車蓋，兩龍駕轅啊螭龍奔跑在兩側。攀登上崑崙我放眼四望，任心神飛揚好不舒暢。日將西沈，忘卻歸去心惆悵。遙遠的河邊讓我顧戀感傷。魚鱗飾屋，龍鱗嵌堂，紫貝搭闕門，明珠鑲臥房。神靈你爲何久居在水鄉？乘坐白黿追逐游魚，和你同游在那河渚，流水洶湧奔流向前將生悲。您拱手辭別往東行，送別美人啊直到南岸口。波浪滔滔都來迎接我，成群的游魚爲我送行。

山鬼

有人謂山鬼也阿曲隅也

若有人兮山之阿，被薜荔兮帶女羅。
既含睇兮又宜笑，子慕予兮善窈窕。
乘赤豹兮從文狸，辛夷車兮結桂旗。
被石蘭兮帶杜衡，折芳馨兮遺所思。
余處幽篁兮終不見天，路險難兮獨後來。
表獨立兮山之上，雲容容兮而在下。
杳冥冥兮羌晝晦，東風飄兮神靈雨。
留靈脩兮憺忘歸，歲既晏兮孰華予？
採三秀兮於山間，石磊磊兮葛蔓蔓。
怨公子兮悵忘歸，君思我兮不得閒。
山中人兮芳杜若，飲石泉兮蔭松柏，君思我兮然疑作。
雷填填兮雨冥冥，猨啾啾兮又夜鳴。
風颯颯兮木蕭蕭，思公子兮徒離憂。

【譯文】好像有人忽隱忽現在山坳，木蓮披身腰繫着女羅。脈脈含情的眼嫣然笑，你愛慕我美好的樣子。乘坐着赤豹身後帶文狸，辛夷香木爲車桂枝爲旗。披着石蘭杜衡飾帶飄然而垂，折下芬草送給心愛的人。身在幽深竹林終日不見天，道路險阻難行來得晚。孤獨立在那高山上，飄蕩的雲氣就在腳下翻。光綫幽暗白天似黑夜，陣陣東風飄下雨的是神靈。安然地等待你使我忘記了歸去，時光已逝誰能給我好光華？採集靈芝在那巫山間，衹見亂石累累藤葛蔓蔓。埋怨公子悵然忘記歸去，你想念着我，卻沒有空閑。山中的我芬芳似杜若，飲用清泉流水松柏遮蔭，你的思念讓人眞是疑惑。雷聲隆隆大雨綿綿，猿聲淒厲哀鳴啾啾。山風呼嘯山木颯颯，思念公子徒然憂愁。

國殤

操吳戈兮被犀甲，車錯轂兮短兵接。
旌蔽日兮敵若雲，矢交墜兮士爭先。
凌余陣兮躐余行，左驂殪兮右刃傷。
霾兩輪兮縶四馬，援玉枹兮擊鳴鼓。
天時懟兮威靈怒，嚴殺盡兮棄原野。
出不入兮往不反，平原忽兮路超遠。
帶長劍兮挾秦弓，首身離兮心不懲。

誠既勇兮又以武，終剛強兮不可凌。
身既死兮神以靈，魂魄毅兮爲鬼雄！

隆墜也言兩軍相射流矢交墜壯夫奮怒先在前也

譯文 手持着吳戈啊身披着犀牛鎧甲，雙方車輪碰撞啊短兵交鋒。旌旗遮蔽了太陽啊敵多如雲，羽箭紛紛下落啊勇士爭拼殺。侵犯我的陣地啊衝跨我的隊行。左邊驂馬已死啊右邊戰馬已傷。兩輪陷入泥中啊四馬都被絆倒，操着玉槌啊擂得戰鼓咚咚響。驚天動地啊威靈已經震怒，殘酷的搏殺完結啊橫尸滿山野。出征就不回師啊一去不復返，平原蒼茫遼闊啊歸途多麼遙遠。腰佩長長利劍啊手握秦地良弓，身首即使分離啊也不改變我忠誠。眞是既勇敢啊又威武雄壯，至死剛毅頑強啊不可欺凌。身軀已戰死啊精神卻永恆，忠魂毅魄啊鬼中也定爲英雄！

禮魂

成禮兮會鼓，傳芭兮代舞，姱女倡兮容與。
春蘭兮秋菊，長無絕兮終古。

言春祠以蘭秋祠以菊爲芬芳長相繼承無絕於終古之道也

謝氏曰人須是識其真心方乍見孺子入井之時其心怵惕乃真心也非思而得非勉而中天理之自然也内交要譽惡其聲而然即人欲之私矣

譯文 祭禮完成啊擂響大鼓，傳遞鮮花啊輪流來歌舞，美女們又唱起來啊從容有度。春天有蘭草啊秋天有菊花，長久不斷絕啊流芳千古。

天問

曰：

遂古之初，誰傳道之？
上下未形，何由考之？
冥昭瞢闇，誰能極之？
馮翼惟像，何以識之？
明明闇闇，惟時何爲？
陰陽三合，何本何化？
圜則九重，孰營度之？
惟茲何功，孰初作之？
斡維焉繫，天極焉加？
八柱何當，東南何虧？
九天之際，安放安屬？
隅隈多有，誰知其數？
天何所沓？十二焉分？
日月安屬？列星安陳？
出自湯谷，次於蒙汜。
自明及晦，所行幾里？
夜光何德，死則又育？
厥利維何，而顧菟在腹？
女歧無合，夫焉取九子？
伯強何處？惠氣安在？
何闔而晦？何開而明？
角宿未旦，曜靈安藏？
不任汩鴻，師何以尚之？

僉曰何憂，何不課而行之？
鴟龜曳銜，鯀何聽焉？
順欲成功，帝何刑焉？
永遏在羽山，夫何三年不施？
伯禹腹鯀，夫何以變化？
纂就前緒，遂成考功。
何續初繼業，而厥謀不同？
洪泉極深，何以塡之？
地方九則，何以墳之？
河海應龍？河海何歷？
鯀何所營？禹何所成？
康回馮怒，地何故以東南傾？
九州安錯？川谷何洿？
東流不溢，孰知其故？
東西南北，其脩孰多？
南北順橢，其衍幾何？
崑崙縣圃，其尻安在？
增城九重，其高幾里？
四方之門，其誰從焉？
西北辟啓，何氣通焉？
日安不到？燭龍何照？
羲和之未揚，若華何光？
何所冬暖？何所夏寒？
焉有石林？何獸能言？
焉有虬龍，負熊以游？
雄虺九首，鯈忽焉在？
何所不死？長人何守？
靡蓱九衢，枲華安居？

言禹治水道娶塗山氏之女而通夫婦之道於臺桑之地

一蚍吞象，厥大何如？
黑水玄趾，三危安在？
延年不死，壽何所止？
鯪魚何所？鬿堆焉處？
羿焉彃日？烏焉解羽？
禹之力獻功，降省下土方。
焉得彼塗山女，而通之於臺桑？
閔妃匹合，厥身是繼。
胡爲嗜不同味，而快鼂飽？
啓代益作后，卒然離蠥。
何啓惟憂，而能拘是達？
皆歸射鞫，而無害厥躬。
何后益作革，而禹播降？
啓棘賓商，《九辯》《九歌》？

何勤子屠母，而死分竟地？
帝降夷羿，革孽夏民。
胡射夫河伯，而妻彼雒嬪？
馮珧利決，封豨是䠶。
何獻蒸肉之膏，而后帝不若？
浞取純狐，眩妻爰謀。
何羿之射革，而交吞揆之？
阻窮西征，巖何越焉？
化爲黃熊，巫何活焉？
咸播秬黍，莆雚是營。
何由並投，而鯀疾脩盈？
白蜺嬰茀，胡爲此堂？
安得夫良藥，不能固臧？
天式從橫，陽離爰死。

女歧澆嫂也
館舍也爰於
也言女歧與
澆淫佚爲之
縫裳於是共
舍而宿之也

大鳥何鳴，夫焉喪厥體？
蓱號起雨，何以興之？
撰體協脅，鹿何膺之？
鼇戴山抃，何以安之？
釋舟陵行，何以遷之？
惟澆在戶，何求於嫂？
何少康逐犬，而顛隕厥首？
女歧縫裳，而館同爰止。
何顛易厥首，而親以逢殆？
湯謀易旅，何以厚之？
覆舟斟尋，何道取之？
桀伐蒙山，何所得焉？
妹嬉何肆，湯何殛焉？
舜閔在家，父何以鰥？

堯不姚告，二女何親？
厥萌在初，何所億焉？
璜臺十成，誰所極焉？
登立爲帝，孰道尚之？
女媧有體，孰製匠之？
舜服厥弟，終然爲害。
何肆犬體，而厥身不危敗？
吳獲迄古，南嶽是止。
孰期去斯，得兩男子？
緣鵠飾玉，后帝是饗。
何承謀夏桀，終以滅喪？
帝乃降觀，下逢伊摯。
何條放致罰，而黎服大說？
簡狄在臺，嚳何宜？

恒常也季末也樸大也言湯常能秉持契之末德修而弘之天嘉其志出田獵得大牛之瑞也

玄鳥致貽，女何喜，
該秉季德，厥父是臧。
胡終弊於有扈，牧夫牛羊？
干協時舞，何以懷之？
平脅曼膚，何以肥之？
有扈牧豎，云何而逢？
擊床先出，其命何從？
恒秉季德，焉得夫樸牛？
何往營班祿，不但還來？
昏微遵迹，有狄不寧。
何繁鳥萃棘，負子肆情？
眩弟並淫，危害厥兄。
何變化以作詐，後嗣而逢長？
成湯東巡，有莘爰極。

何乞彼小臣，而吉妃是得？
水濱之木，得彼小子。
夫何惡之，媵有莘之婦？
湯出重泉，夫何罪尤？
不勝心伐帝，夫誰使挑之？
會鼂爭盟，何踐吾期？
蒼鳥群飛，孰使萃之？
列擊紂躬，叔旦不嘉。
何親揆發，定周之命以咨嗟？
授殷天下，其位安施？
反成乃亡，其罪伊何？
爭遣伐器，何以行之？
並驅擊翼，何以將之？
昭后成游，南土爰底。

言齊桓公任管仲九合諸侯一匡天下任豎刁易牙子孫相殺蟲流出户一人之身一善一惡天命無常罰佑之不恒也

厥利惟何，逢彼白雉？
穆王巧梅，夫何爲周流？
環理天下，夫何索求？
妖夫曳衒，何號於市？
周幽誰誅，焉得夫褒姒？
天命反側，何罰何佑？
齊桓九會，卒然身殺。
彼王紂之躬，孰使亂惑？
何惡輔弼，讒諂是服？
比干何逆，而抑沈之？
雷開何順，而賜封之？
何聖人之一德，卒其異方？
梅伯受醢，箕子詳狂？
稷維元子，帝何竺之？

投之於冰上，鳥何燠之？
何馮弓挾矢，殊能將之？
既驚帝切激，何逢長之？
伯昌號衰，秉鞭作牧。
何令徹彼岐社，命有殷國？
遷藏就岐，何能依？
殷有惑婦，何所譏？
受賜茲醢，西伯上告。
何親就上帝罰，殷之命以不救？
師望在肆，昌何識？
鼓刀揚聲，后何喜？
武發殺殷，何所悒？
載尸集戰，何所急？
伯林雉經，維其何故？

言蜂蟻有毒之蟲受天命負力堅固屈原以喻蠻夷自相毒固其常也獨當憂秦吳耳

何感天抑地，夫誰畏懼？

皇天集命，惟何戒之？

受禮天下，又使至代之？

初湯臣摯，後茲承輔。

何卒官湯，尊食宗緒？

勛闔夢生，少離散亡。

何壯武厲，能流厥嚴？

彭鏗斟雉，帝何饗？

受壽永多，夫何久長？

中央共牧，后何怒？

蜂蛾微命，力何固？

驚女採薇，鹿何佑？

北至回水，萃何喜？

兄有噬犬，弟何欲？

易之以百兩，卒無祿？

薄暮雷電，歸何憂？

厥嚴不奉，帝何求？

伏匿穴處，爰何云？

荊勛作師，夫何長？

悟過改更，我又何言？

吳光爭國，久余是勝。

何環穿自閭社丘陵，爰出子文。

吾告堵敖，以不長。

何試上自予，忠名彌彰？

譯文 請問：往古初年的情況，是誰把它傳述了下來？天地混沌一片，根據什麼來考察確定？晝夜未分混沌昏暗，根據什麼來窮究看透？宇宙恍惚無形又無像，又是憑借什麼來識辨？白晝黑夜相交替，辨明時間又是什麼樣的？陰陽相合化生萬物，什麼是本體什麼是衍生體？渾圓的天體有九層，是誰圍繞測量知曉的？這功績如何的浩大，可最初由誰來開創？天體如車蓋繫在哪裏？天樞北斗又是架在何處？撐天的八柱坐落在何方？東南的天柱爲何缺損不一般長？九野之間的邊際，又如何安放如何連接？九天有許多彎曲角落，誰能知道它的數目？天與地相會在何處？子丑寅卯十二辰又怎樣劃分？日月怎樣掛在天體上？群星又如何陳列在太空上？太陽從東方湯谷出發，夜晚歇息在蒙水邊。從早晨一直到黃昏，一共走了多少里路？月亮具有什麼本領，居然能夠死而復生？那樣對它有何好處，把兔子撫養在腹中？女歧她從未有配偶，如何生出九個兒子？風神伯強住在何處？寒涼的風又是從哪裏生成？上天哪座大門關閉就天黑？上天哪座大門打開就天亮？當東方還沒發亮，太陽如何隱藏自己那萬丈光芒？

鯀不勝治水重任，衆人爲何還將他推舉？都對堯說「不必太過擔憂」，爲何不試一試再任用？鴟鴞和大龜拖土銜泥，鯀爲何對它們言聽計從？治水眼看就要成功，帝堯爲何對鯀加刑？長期把鯀幽禁在東海羽山，爲何多年也未赦免？大禹從鯀的腹中出生，又是如何孕育生成？繼續先前治水的工程，父輩的事業終於成功。爲什麼大禹子承父業，而大禹的措施截然不同？洪水的源泉深不見底，他用什麼辦法來填平？廣袤的大地被分爲九州，又如何使它高於水面？應龍是如何以尾畫地的？河流是怎樣流通入海的？鯀在治水時採取了哪些辦法？禹在治水中有哪些成功？共工怒撞天柱不周山，可大地爲何都向東南斜傾？大地九州如何安置？山川谷地都有多深？百川歸海，大海不會滿溢，有誰知道它的緣故？從東至西從南到北，它的長度相比哪個更長？如果南北更爲狹長，又比東西長出多少？崑崙山頂上的玄圃，到底在哪個地方？崑崙山上有九重增城，它的高度有多少里？崑崙四面的山門，有誰從這裏進進出出？當西北方的大門開啓，是什麼風從那裏流通？太陽何處普照不到，爲何還要燭龍照亮？羲和尚未揚鞭啓程，若木爲何放射光芒？什麼地方冬天溫暖？什麼地方酷夏寒涼？哪裏有石頭的樹林？什麼獸類能講人言？哪裏有無角的虬龍，背負大熊四處蕩游？長着九個腦袋的毒蛇雄虺迅疾往來去了哪裏？什麼地方是不死之國？巨人守衛着什麼？水中異草居然長出九個枝丫，枲麻又開花在何處？一條蛇可以吞掉大象，它的身子該有多麼龐大？黑水、玄趾和三危，這些地方都在哪裏？哪裏的人長生不死，生命究竟有無期限？興風作浪的鯪魚生活在哪裏？虎爪鼠足的鬿雀居住在何處？后羿在哪裏射下九個太陽？日中金烏於何處墜翅喪生？大禹努力貢獻全部力量，從天而降巡視下界四方。在何處遇到那位塗山女子，而又和她結成夫婦在臺桑？

大禹愛惜他們的結合，自己身後有人繼承。爲什麼嗜好與衆不同，不貪圖男歡女愛的情欲？啓取代益做了國君，猝然間遭到囚禁的災殃。爲何夏啓遭受災難，卻能從拘禁的禍難中逃離？后益的黨羽被治罪，而夏啓的身體卻無絲毫損傷？爲何益的國運不長，而夏啓的統治昌盛興旺？啓多次獻女給天帝，如何帶回帝樂《九辯》與《九歌》？爲何愛憐兒子卻反被兒子殺掉，使母親身體分離散落遍地？上天降下善射

的夷羿，爲的是革除憂患拯救夏民。可爲什麼他要射殺河伯，強娶了他的妻子洛水女神？拉開大弓扣動扳指，把巨大的野豬封豨殺死。給天帝獻上肉，上天爲什麼不順暢領情？寒浞得到羿妻純狐，兩人合謀把后羿害死。爲什麼能射穿七層皮革的羿，卻被陰謀勾結所算計？鯀被放逐羽山自西而東艱難險阻，如何越過那高山峻嶺？深淵中伯鯀化身爲黃熊，神巫怎樣使他起死復生？禹平治洪水率民種五穀，除去雜草變成良田。爲什麼一樣被流放，而鯀的壞名聲是又多又長？穿着白色衣裙戴着華麗首飾，嫦娥爲何如此華麗？羿從哪裏得來不死之藥，卻爲何不能妥善保藏？自然之道不可阻擋，陽氣消散就會死亡。羿死後化爲大鳥飛鳴而去，他原來的軀體消逝在何方？雨師蓱翳興雲佈雨，大雨傾盆如何發動？風神飛廉鳥獸合體，可他又是如何呼應？大龟背負傀山起舞，傀山爲何還能安穩？澆能撐船在陸地行走，怎麼讓船就能移動？澆來到嫂嫂女歧的門口，對嫂嫂有何相求？爲何少康放逐獵犬，而被砍落在地的卻是澆的頭？女歧爲澆縫製衣裳，兩人淫亂同宿

共眠。爲什麼少康斬錯了腦袋，女歧自己遭殃身亡？少康佯裝打獵而動用武力，如何增強軍事力量？澆能使二斟覆亡，少康用什麼計謀砍下澆的腦袋？夏桀出征討伐蒙山，他這樣做究竟有何收獲？妹嬉何罪之有，商湯爲何把她誅殺？虞舜在家憂愁不堪，父親瞽叟爲何不給他娶妻？唐堯嫁二女不告知舜的父母，娥皇、女英怎麼和舜成親？舜當初是一介平民，又是怎樣預料成爲尊貴？殷紂王脩玉臺共有十層，誰又能想象到後果？女媧登基稱帝，是由誰來引導？女媧那奇異變幻的形體，又由誰來製造的？舜以仁愛之心厚待弟弟，卻始終被弟弟加害。爲何舜放任象作惡，自己卻能不受傷？吳國從太伯始獲有悠久歷史，立國於橫山一帶大江以南。誰能料到在這開啓的土地上，有埋着舜和商君的墳墓？用雕有天鵝飾玉的鼎烹飪美味，帝王商湯高興地享用佳肴。伊尹如何做了內應，終於把夏滅亡？商湯到民間巡視四方，正好遇奴隸出身的伊尹。夏桀被流放鳴條受懲，爲何黎民百姓那樣歡欣？

簡狄深居九層高臺，帝嚳爲何對她如此鍾愛？燕子遺卵送來禮物，簡狄吃後爲何懷孕？王亥秉承王季的德業，和他父親一樣善良。怎麼最終被人驅使，爲有易氏放牧牛羊？王亥跳起干盾之舞，如何讓有易女子深深愛戀？那個女子胸部丰滿皮膚細嫩，王亥怎樣與有易女私通？身爲有易普通的牧人，如何與有易女相逢？擊殺床第之上王亥已逃，他的性命從何處逃脫？王恆也繼承王季的德行，哪裏得到哥哥丟失的服牛？爲何到有易謀求爵祿，回來時卻兩手空空？昏庸的上甲微遵循父親的事業，打得有易國不得安寧。如何匯集勇士耀武揚威，報了殺父之仇縱兵逞勇？昏惑的弟弟與有易女私通，以致害死她的長兄。爲什麼有人詭作多端，他們的後代卻興旺綿延？商湯去往東方巡視，到達有莘之國纔停止。本來要尋求小臣伊尹，卻得到一位美麗的賢妃？水邊空心的桑樹中，撿到了嬰兒伊尹。有莘國君爲什麼討厭他，讓他做女兒的陪嫁？湯走出被囚禁的重泉，他究竟犯下了什麼罪過？忍無可忍商湯纔去討伐桀，自食惡果還用挑唆？諸侯朝會爭相發誓，爲何都遵守前定的日期？軍隊前進勇如雄鷹，是誰讓他們聚集在一起？分解砍斷殷紂王的尸體，周公姬旦並不贊許。可是他親自輔佐武王，周得天命他卻又爲何嘆息？上天把天下授予商，他們的帝位如何喪？從它建成最終又滅亡，它的罪過是什麼？諸侯爭相派遣着軍隊，這要怎樣來指揮行動？齊頭並進出擊兩翼，如何統率進攻的？周昭王去南方巡游，一直到達荆楚土地。他那樣有什麼好處，爲什麼還遇到了白色野鷄？周穆王圖謀很宏大，爲什麼滿世界地去周游？環游治理天下，到底有何索取貪求？那對妖人夫婦拖着貨物，爲何叫賣於市井？周幽王到底被誰誅殺，又如何得到褒姒？

天命眞是反復無常，懲罰什麼又保佑什麼？齊桓九合諸侯而稱霸天下，最終卻被人害死。殷紂王的所作所爲，是誰使他那樣昏亂迷惑？爲什麼厭惡輔佐的忠臣，專門任用讒佞的小人？比干什麼事違背他的心意，不被重用最後還剖了心？雷開怎樣順從逢迎，讓紂對他那樣加封？爲什麼聖人美德相同，處世方法卻大不相同？梅伯直諫被殺受酷刑，箕子無奈披髮裝瘋。后稷本是帝嚳的長子，可帝嚳爲什麼對他那樣憎惡？把出生的嬰兒拋棄在冰面上，鳥爲何用羽翅溫暖他？如何獲得紂賜的弓，讓他有異能把諸侯一統？既然他的降生讓上天驚恐，爲什麼還讓他子孫繁衍昌盛？商朝衰落西伯姬昌發號令，執政在雍州之牧。是什麼讓周拆除舊社立新廟，讓周王取代殷朝是命中定？太王帶着財產遷往岐山，是什麼讓民衆相依從？殷紂有了寵妃妲己，民衆是怎樣譏諷的？紂賜諸侯梅伯被烹的肉羹，西伯姬昌將此事向上天控告。爲何紂王接受上天的懲罰，殷朝的國運仍無法挽回？姜尚曾在朝歌肉店舞着刀，西伯姬昌爲何賞識他？宰割牛羊發出的聲響，文王聽後爲何如此高興？武王姬發討伐殷紂，爲什麼如此憤恨？載着文王靈位就去會戰，他爲什麼這樣着急？殷紂王被懸尸，這究竟是什麼緣故？他死之前呼天搶地，坦然行義有誰使他畏懼？上天既然降命給殷商，又是如何告誡他的？既然授命予他治理天下，爲何又讓周人代替他？當初伊尹祇是媵臣，後來就擔當王朝的宰相。爲什麼伊尹最終追隨商湯，死後能在商王的宗廟裏配享？功勛卓著的闔廬是壽夢的長孫，年少時遭受排擠而坎坷流蕩。爲何壯年孔武勇猛，威武聲名能夠遠揚？彭祖調和野鷄肉羹，上天爲何前來享用？賜給他的壽命長久，可他爲何仍憤恨不平？周公召會一同執政，列國君王爲什麼紛爭相怒？蜂蟻一類昆蟲是微小的生命，爲何築起的巢穴強固不摧？伯夷、叔齊採薇充飢聽了譏諷而絕食，白鹿何以乳汁相保佑？伯夷叔齊採薇向北而行到雷水，雙雙餓死可爲什麼還很高興？秦景公有條猛犬，他的弟弟爲何非要得到？用一百輛車交換那隻狗，最終失去爵位還遭哥哥放逐。

天近黃昏電閃雷鳴，上天還有什麼憂愁可說？國與君的尊嚴都得不到保持，對上天還有什麼要求？我隱居在這荒山野林，幽憤塡胸還能說什麼？楚君好大喜功屢戰屢敗，國家還能撐多久？對自己的過錯如能翻然改悔，我還能說什麼話？吳王闔廬與楚交戰，長期以來一直戰勝我國。無奈穿街過巷越丘陵，纔覓得令尹子文這賢相。我曾說堵敖的行徑難長久。爲什麼成王弒兄自立，他忠貞的名聲更遠揚？

九章

涉江

余幼好此奇服兮，年既老而不衰。
帶長鋏之陸離兮，冠切雲之崔嵬。被明月兮佩寶璐。
世溷濁而莫余知兮，吾方高馳而不顧。
駕青虬兮驂白螭，吾與重華游兮瑤之圃。
登崑崙兮食玉英，與天地兮同壽，與日月兮齊光。
哀南夷之莫吾知兮，旦余將濟乎江湘。
乘鄂渚而反顧兮，欸秋冬之緒風。
步余馬兮山皋，邸余車兮方林。
乘舲船余上沅兮，齊吳榜而擊汰。
船容與而不進兮，淹回水而疑滯。
朝發枉渚兮，夕宿辰陽。
苟余心其端直兮，雖僻遠之何傷！

旦明也濟渡也言己放棄以明旦之時始去遂渡江湘之水言明旦者紀時明刺君不明也

入溆浦余儃佪兮，迷不知吾所如。
深林杳以冥冥兮，猨狖之所居。
山峻高以蔽日兮，下幽晦以多雨。
霰雪紛其無垠兮，雲霏霏而承宇。
哀吾生之無樂兮，幽獨處乎山中。
吾不能變心而從俗兮，固將愁苦而終窮。
接輿髡首兮，桑扈臝行。
忠不必用兮，賢不必以。
伍子逢殃兮，比干菹醢。
與前世而皆然兮，吾又何怨乎今之人。
余將董道而不豫兮，固將重昏而終身。
亂曰：
鸞鳥鳳凰，日以遠兮。
燕雀烏鵲，巢堂壇兮。

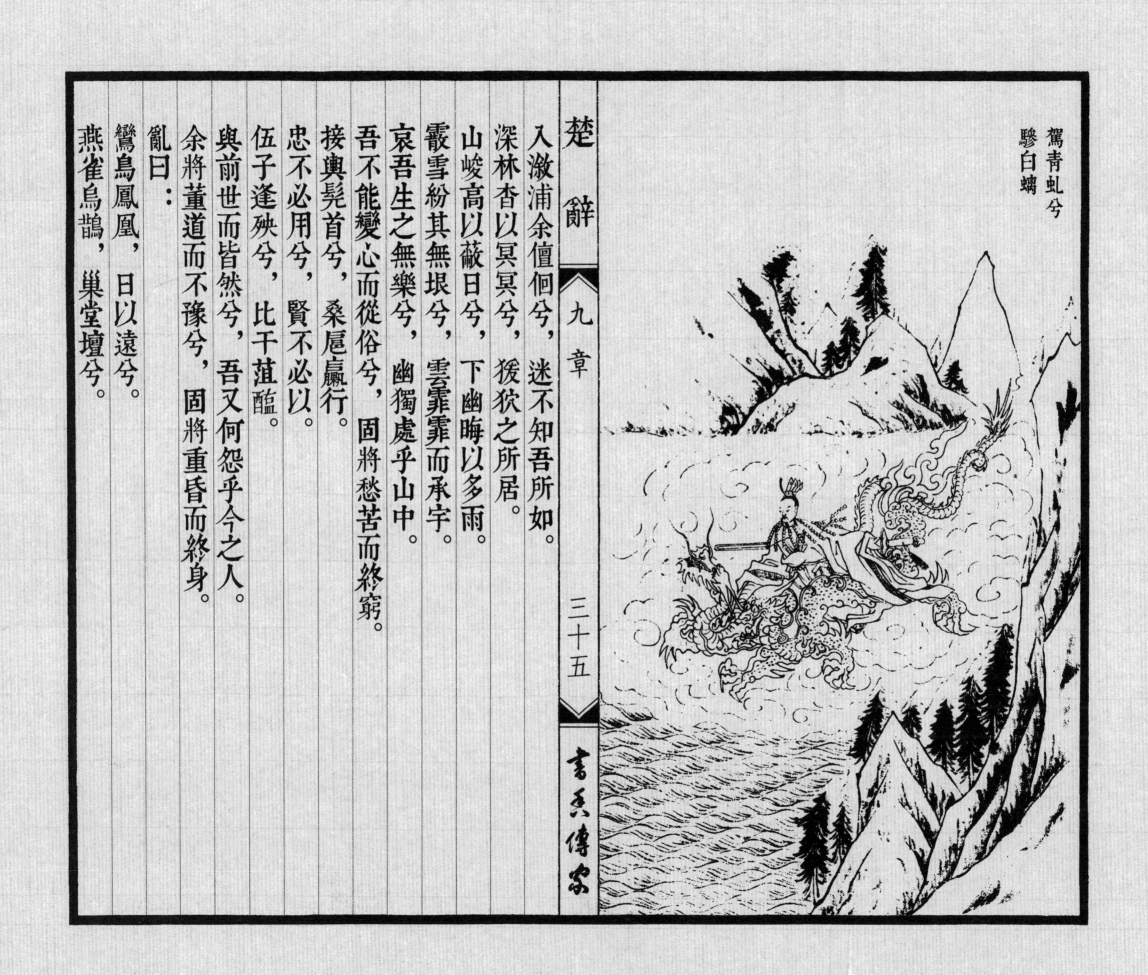

露申辛夷，死林薄兮。
腥臊並御，芳不得薄兮。
陰陽易位，時不當兮。
懷信侘傺，忽乎吾將行兮。

譯文 我從小的時候就喜愛這奇裝異服啊，年紀老了興致也未減少分毫。佩掛那光彩熠熠的長劍，頭戴高高聳起的切雲冠，身披寶珠腰佩美玉。世界昏亂沒有人理解我啊，我要遠走高飛一無反顧。用青虬駕車白龍做驂，我和帝舜共同游歷瑤圃。登上崑崙山品嘗白玉的花瓣，和天地萬古長存，與日月同輝永放光芒。痛恨朝廷無人能理解我啊，明早我就要渡過湘水去遠行。

登上鄂渚我回頭眺望，嘆息秋冬的餘風絲絲寒涼。讓我的馬在山岡漫行，把我的車停在方林旁。換乘小船逆流水而上啊，雙槳齊揮激起洶湧的波浪。船隻緩慢不易前行啊，陷入急湍回流中更加艱難。清晨從枉渚出發啊，夜晚在辰陽安歇。如果我的內心真的端正方直啊，即使流放偏僻遠方又有何妨？

進入漵浦我猶豫徘徊啊，迷茫困惑我不知該向何方。幽暗的深林沒有光明啊，此本是猿猴久居的地方。山嶺高聳遮蔽了陽光，山下幽深昏暗細雨茫茫。雨雪紛飛無邊無際啊，雲霧蒙蒙籠罩天宇。哀嘆生活毫無快樂啊，獨處在這淒涼荒僻的深山。我不能改變初衷去隨波逐流啊，必將憂愁痛苦結束一生。

接輿剃髮裝瘋啊，桑扈赤身而行。忠臣不受重用啊，賢良沒有好下場。伍子胥遭到禍殃啊，比干也被剁成肉醬。自古以來都是這樣啊，我又何必怨恨今天的執政之人。我要堅持正道毫不猶豫啊，寧肯重踏前人的悲劇度過此生。

尾聲：吉祥的鸞和鳳凰，一日日越飛越遠啊。庸俗的燕子和烏鴉，都在廟堂搭壘巢啊。芬芳的露申和辛夷，枯死在叢林密草邊啊。惡臭的被人任用，芬芳的難近前啊。陰陽易位是非難分，生不逢時難以改變啊。懷抱忠誠心惆悵，嗚呼我將要遠走他鄉。

蹇產詰屈也。言己乘船蹈波，愁而恐懼，則心肝縣結，思念詰屈而不可解釋也。

哀郢

皇天之不純命兮，何百姓之震愆？
民離散而相失兮，方仲春而東遷。
去故鄉而就遠兮，遵江夏以流亡。
出國門而軫懷兮，甲之鼂吾以行。
發郢都而去閭兮，怊荒忽其焉極？
楫齊揚以容與兮，哀見君而不再得。
望長楸而太息兮，涕淫淫其若霰。
過夏首而西浮兮，顧龍門而不見。
心嬋媛而傷懷兮，眇不知其所蹠。
順風波以從流兮，焉洋洋而爲客。
凌陽侯之氾濫兮，忽翱翔之焉薄？
心絓結而不解兮，思蹇產而不釋。
將運舟而下浮兮，上洞庭而下江。

去終古之所居兮，今逍遙而來東。
羌靈魂之欲歸兮，何須臾而忘反！
背夏浦而西思兮，哀故都之日遠。
登大墳以遠望兮，聊以舒吾憂心。
哀州土之平樂兮，悲江介之遺風。
當陵陽之焉至兮，淼南渡之焉如？
曾不知夏之爲丘兮，孰兩東門之可蕪？
心不怡之長久兮，憂與愁其相接。
惟郢路之遼遠兮，江與夏之不可涉。
忽若去不信兮，至今九年而不復。
慘鬱鬱而不通兮，蹇侘傺而含慼。
外承歡之汋約兮，諶荏弱而難持。
忠湛湛而願進兮，妒被離而鄣之。
堯舜之抗行兮，瞭杳杳而薄天。

晝夜念君不遠離也

眾讒人之嫉妒兮，被以不慈之僞名。
憎愠惀之脩美兮，好夫人之忼慨。
眾踥蹀而日進兮，美超遠而逾邁。

亂曰：

曼余目以流觀兮，冀壹反之何時？
鳥飛反故鄉兮，狐死必首丘。
信非吾罪而棄逐兮，何日夜而忘之！

譯文　上天變化反復無常啊，爲什麼讓百姓震蕩受禍殃？人民流離失散不能團聚，二月裏逃避災難向東方。踏上征途揮淚別故鄉，沿着夏水大江去流亡。走出國都的大門悲痛縈懷，甲日的清晨我動身遠行。從郢都出發離別故鄉，天高地遠我應該去向何方？舉起雙槳內心又徘徊猶豫，哀傷的是我再也見不到君王。望着郢都的梓樹長嘆息，泪水簌簌落下似雪珠。過了夏口向西行，看不見郢都東門我依然回頭久望。心中憂傷留戀十分感傷，前途渺茫我不知去向。順着風向任意漂泊吧，

在那波滔洶湧的大水中流浪。我乘着水神泛起的大波，如同飛鳥在空中盲目翱翔。我的心緒鬱結無法解脫，我的心胸受壓抑無法舒暢。掉轉船頭順江而下，先過洞庭，再下長江。今天去別世代居住的地方，漂泊流浪向東漂蕩。

我的靈魂思念故園啊，沒有一刻忘記返回的願望。離開夏口我仍牽掛西方，哀傷的是離故都的路越來越長。登上水邊的大堤我縱目眺望，姑且寬慰我憂愁的心腸。安居樂業的人民更增加了我的憂傷，沿江古風猶存更令我心傷。當我就要到達那遙遠的陵陽，向南一片汪洋讓我不知去何方。誰曾想宮室廣廈成瓦礫，誰知道郢都東門雜草叢生。內心從未有過快樂，憂慮和哀愁不斷湧進胸膛。思念郢都路途遙遠，沒有辦法回渡夏水和長江。這發生的一切如夢中一樣，遭放逐的歲月卻已很長。悲慘鬱悶解也解不開啊，不被信任令我悲傷。

讒佞小人外表阿諛取悅君王，可骨子裏卻軟弱無法依仗。忠賢希冀爲君王獻身，卻遭到嫉妒和誹謗。古代堯舜的德行何等高尚，有着觸

及蒼天的遠大目光。讒佞之人嫉妒我，竟用不慈的罪名將賢德謗。憎恨那忠誠者的美好品德，喜好那慷慨陳詞虛僞的表演。小人得勢一日日昇遷，賢良美德都漸漸被疏遠。

尾聲：縱目向四處眺望，希求再回去一次啊在什麼時光？飛鳥飛得再遠也要返回舊林，狐狸臨死頭要朝向生身的山岡。本不是我的罪過卻遭到放逐，白天黑夜怎能忘記我的故鄉。

抽思

心鬱鬱之憂思兮，獨永嘆乎增傷。
思蹇產之不釋兮，曼遭夜之方長。
悲秋風之動容兮，何回極之浮浮。
數惟蓀之多怒兮，傷余心之憂憂。
願搖起而橫奔兮，覽民尤以自鎮。
結微情以陳詞兮，矯以遺夫美人。
昔君與我誠言兮，曰黃昏以爲期。

羌中道而回畔兮，反既有此他志。
憍吾以其美好兮，覽余以其脩姱。
與余言而不信兮，蓋爲余而造怒。
願承間而自察兮，心震悼而不敢。
悲夷猶而冀進兮，心怛傷之憺憺。
歷茲情以陳辭兮，蓀詳聾而不聞。
固切人之不媚兮，眾果以我爲患。
初吾所陳之耿著兮，豈至今其庸亡。
何獨樂斯之謇謇兮，願蓀美之可完。
望三五以爲像兮，指彭咸以爲儀。
夫何極而不至兮，故遠聞而難虧。
善不由外來兮，名不可以虛作。
孰無施而有報兮，孰不實而有獲？
少歌曰：

君性不端晝夜謬也

與美人之抽怨兮，並日夜而無正。

憍吾以其美好兮，敖朕辭而不聽。

倡曰：

有鳥自南兮，來集漢北。

好姱佳麗兮，牉獨處此異域。

既惸獨而不群兮，又無良媒在其側。

道卓遠而日忘兮，願自申而不得。

望北山而流涕兮，臨流水而太息。

望孟夏之短夜兮，何晦明之若歲？

惟郢路之遼遠兮，魂一夕而九逝。

曾不知路之曲直兮，南指月與列星。

願徑逝而未得兮，魂識路之營營。

何靈魂之信直兮，人之心不與吾心同。

理弱而媒不通兮，尚不知余之從容。

亂曰：

長瀨湍流，泝江潭兮。

狂顧南行，聊以娛心兮。

軫石崴嵬，蹇吾願兮。

超回志度，行隱進兮。

低佪夷猶，宿北姑兮。

煩冤瞀容，實沛徂兮。

愁嘆苦神，靈遙思兮。

路遠處幽，又無行媒兮。

道思作頌，聊以自救兮。

憂心不遂，斯言誰告兮！

譯文 憂傷鬱積心情沈悶啊，獨自長嘆掀起層層憂傷。思緒煩雜不得舒暢啊，受煎熬的黑夜如此漫長。悲嘆秋風蕭瑟萬物要凋零啊，回轉盤旋飄搖動蕩。想到愛發怒的君王啊，心就會有無盡的憂傷。我想不顧一切遠走高飛啊，百姓受苦讓我細心思量。整理情思慢慢陳述啊，一切都要告訴君王。你曾與我誠懇相約啊，你說：相依爲命直到黃昏。可是中途你就變卦折返啊，反悔初志另有打算將我拋棄。向我炫耀你的美好外表，讓我觀賞你的美好整潔，與我有言在先都不守信啊，可又爲何將我無故遷怒。多想找個機會盡情向你表白啊，卻心中悸動不安不敢上前。悲哀猶豫希望能靠近啊，縱使我內心這樣憂傷。列舉我的忠貞表白情感啊，君王啊你卻裝聾不願聽。本來耿直的人不諂媚啊，人們卻把我當作眼中釘。當初向君王表白啊，難道到如今全部遺忘？我偏偏喜好忠貞直言啊，君王美德是我的願望。願三皇五帝做榜樣啊，賢臣彭咸是我效法的楷模。沒有目標達不到啊，聲名遠揚難以損傷。美好的品德要靠自己脩啊，偉大的名聲哪能虛假僞裝。哪有不施捨就有報酬啊，哪有不播種就有收穫。

少歌：向君王傾吐心中的怨愁啊，日日夜夜啊無法終止念頭。總向我炫耀你認爲「美好」的醜類啊，傲慢的無視我的言辭。

倡曰：一隻鳥從南方飛來呀，棲息在漢北這生疏的地方。它多麼美麗，多麼漂亮啊，卻離開故土流落在他鄉。它無依無靠，離群索居，又沒有良媒在君王身邊。道路遙遠一天天被遺忘，多想向君王表白卻不能上前。遙望北山熱泪流淌啊，面對流水長長嘆息。盼望在這初夏短促的黑夜啊，盼天明像度年般的漫長。想到郢都的歸途是何等遙遠啊，夢魂每晚都往返回去幾趟。從不管道路的崎嶇坎坷，借明月與群星的光輝辨別南方。我多想直接回去卻沒有成功啊，魂在夢中尋求道路急急忙忙。我的靈魂多麼忠誠正直啊，而君王的心和我那樣不同。軟弱的媒人不能與君王溝通啊，哪知我從容外表下的隱痛。

尾聲：長長的淺灘水流急，溯着江漂流向上走。急切環視向南行，暫且散舒我心中憂愁。歸途中的怪石嶙峋不平，堅守心中志向不回頭。繞過險途走直路，小心謹慎地向前走。我心躊躇又彷徨，夜晚住宿在北姑。我的心緒憂愁苦悶，這是流離顛沛的生活啊。悲愁嘆息我痛苦的心靈啊，歸途遙遙漂泊在這偏僻地方，又找不到媒人替我申辯啊。

汨行貌徂往也言己見草木歲長而己獨汨然放流往居江南之土僻遠之處故心傷而長悲思也

我邊走邊想寫下這首詩歌，以此抒懷替我自解啊。我的痛苦無法消除，這些話兒向誰傾訴。

懷沙

滔滔孟夏兮，草木莽莽。
傷懷永哀兮，汨徂南土。
眴兮杳杳，孔靜幽默。
鬱結紆軫兮，離慜而長鞠。
撫情效志兮，冤屈而自抑。
刓方以爲圜兮，常度未替。
易初本迪兮，君子所鄙。
章畫志墨兮，前圖未改。
內厚質正兮，大人所盛。
巧倕不斵兮，孰察其撥正。
玄文處幽兮，矇瞍謂之不章。

離婁微睇兮，瞽以爲無明。
變白以爲黑兮，倒上以爲下。
鳳皇在笯兮，鷄鶩翔舞。
同糅玉石兮，一概而相量。
夫惟黨人之鄙固兮，羌不知余之所臧。
任重載盛兮，陷滯而不濟。
懷瑾握瑜兮，窮不知所示。
邑犬群吠兮，吠所怪也。
非俊疑傑兮，固庸態也。
文質疏內兮，眾不知余之異采。
材樸委積兮，莫知余之所有。
重仁襲義兮，謹厚以爲豐。
重華不可遻兮，孰知余之從容！
古固有不並兮，豈知其何故！

湯禹久遠兮，邈而不可慕。
懲違改忿兮，抑心而自強。
離慜而不遷兮，願志之有像。
進路北次兮，日昧昧其將暮。
舒憂娛哀兮，限之以大故。

亂曰：

浩浩沅湘，分流汩兮。
脩路幽蔽，道遠忽兮。
懷質抱情，獨無匹兮。
伯樂既沒，驥焉程兮。
民生稟命，各有所錯兮。
定心廣志，余何畏懼兮。
曾傷爰哀，永歎喟兮。
世溷濁莫吾知，人心不可謂兮。

鳳皇在笯兮

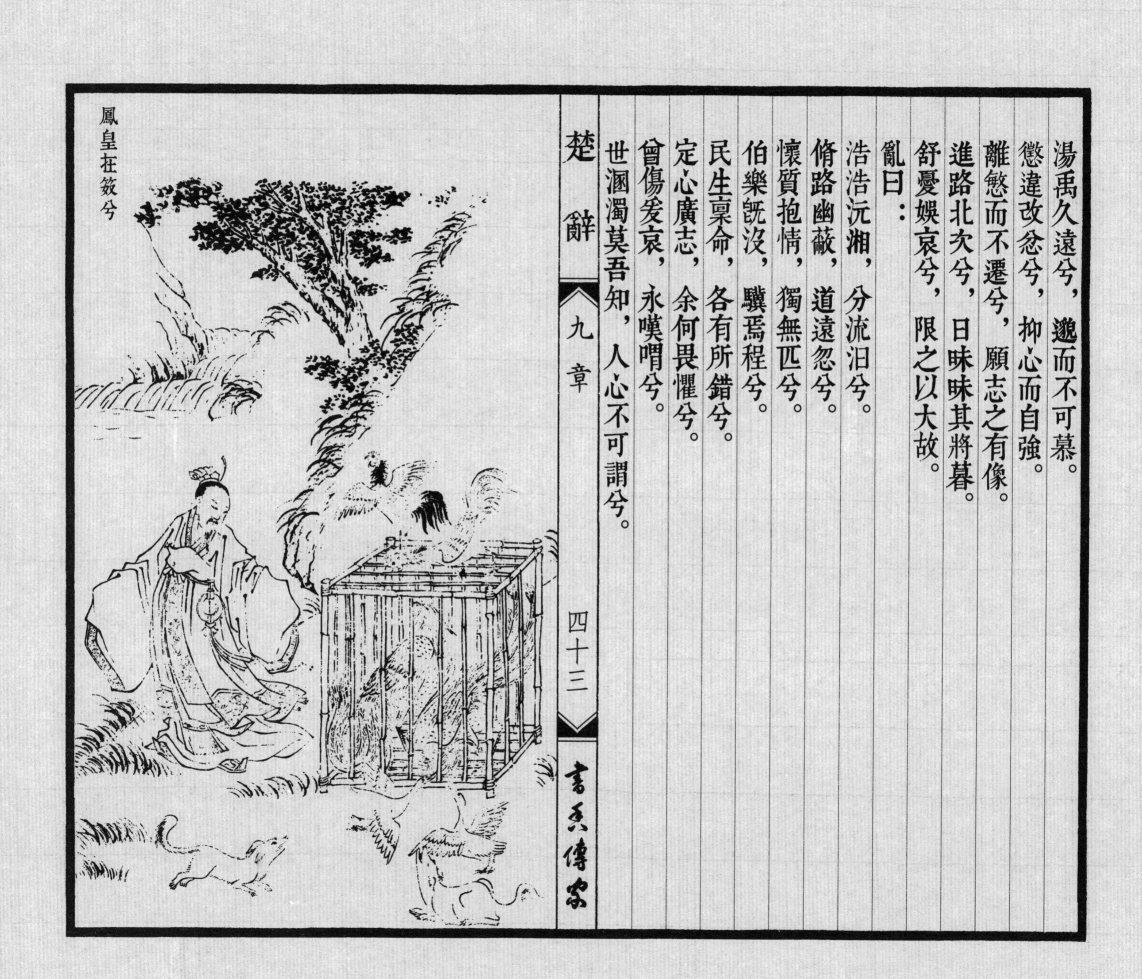

告語也類法也詩云永錫爾類言己將執忠死節故以此明白告諸君子宜以我爲法度

知死不可讓，願勿愛兮。

明告君子，吾將以爲類兮。

【譯文】悠長有生機啊，草木叢生萬木茂盛。心中懷着止不住的悲哀啊，匆匆走向遙遠的南方。遠處山高水深野茫茫，四周沈沈寂寞沒有任何音響。心中痛楚鬱結不能解啊，遭受憂患困窮又何妨。撫慰內心省察我的志向，強自壓抑，冤屈滿腔。縱使你們可以削方成圓啊，正常法度不會被廢棄。改變最初追求的志向啊，這樣的行徑正直的人們都鄙夷。如同匠人的規墨要牢記啊，過去法度不能隨便更易。內心淳厚品質端正啊，那是正人君子所稱許的。巧匠們如果不揮動斧頭啊，誰又能辨認出是直是曲？黑色的花紋放在暗處啊，瞎子說它沒有紋理。離婁要是微視可以明察啊，瞎子卻誤認爲同自己一樣。硬把白的說成黑的啊，人爲地把上下顛倒。鳳凰囚在籠子裏啊，鷄鴨卻到處飛翔。將美玉亂石混雜在一起啊，用同一個尺度來衡量。那些黨人如此鄙陋，又怎能知道我的愛好。

身負時代的重任啊，卻陷入泥淖之中無法前行。懷抱珍寶手握美玉啊，想盡辦法也不知道向誰贈送。荒村野狗成群狂吠啊，那是它少見多怪啊。非是豪傑毀謗賢士啊，這本就是庸人的常態。外表疏放內心樸質啊，衆人哪曉得我特異的光彩。可做棟梁的木材被拋棄啊，哪曉得我所有的美德才能。不斷地積累仁義行正直啊，謹慎忠誠纔是眞正的豐厚。遇不到舜帝那樣的賢君啊，誰又能欣賞我的從容氣度。自古聖賢不同時啊，誰能知道其中的緣故？商湯大禹離我們遠去啊，距今久遠已無法追慕。暫且抑止心中怨和怒啊，壓抑感情信念仍然要堅固。雖遭禍患我初衷不改啊，效法楷模我將銘記心間。向北進發途中住宿，日薄西山無法挽留。散淡憂腸把悲哀變快樂，最大的不幸無非是死亡。

尾聲：沅水湘水浩浩蕩蕩，各自奔流日夜不息啊。道路幽深暗又長，前途渺渺茫茫啊。我懷抱淳樸和熱情，孤獨如今無人與我可商量。伯樂既然已經死去，縱使駿馬又有何用場啊。各有不同的稟性，命運各自就由天注定。我堅定內心擴展志向，還有什麼讓我畏懼啊。屢屢受害止不住悲傷啊，長久地嘆息好凄涼。世界污濁無人瞭解我，人心叵測本來就無法評說啊。我明白死亡是不可避免的，我絕不留戀生命啊。我鄭重告訴君子們，我永遠同志士先賢在一起。

思美人

思美人兮，攬涕而竚眙。
媒絕路阻兮，言不可結而詒。
蹇蹇之煩冤兮，陷滯而不發。
申旦以舒中情兮，志沈菀而莫達。
願寄言於浮雲兮，遇豐隆而不將。
因歸鳥而致辭兮，羌迅高而難當。
高辛之靈盛兮，遭玄鳥而致詒。
欲變節以從俗兮，媿易初而屈志。
獨歷年而離愍兮，羌馮心猶未化。
寧隱閔而壽考兮，何變易之可爲！

知前轍之不遂兮，未改此度。
車既覆而馬顛兮，蹇獨懷此異路。
勒騏驥而更駕兮，造父爲我操之。
遷逡次而勿驅兮，聊假日以須時。
指嶓冢之西隈兮，與纁黃以爲期。
開春發歲兮，白日出之悠悠。
吾將蕩志而愉樂兮，遵江夏以娛憂。
覽大薄之芳茝兮，搴長洲之宿莽。
惜吾不及古人兮，吾誰與玩此芳草。
解萹薄與雜菜兮，備以爲交佩。
佩繽紛以繚轉兮，遂萎絕而離異。
吾且儃佪以娛憂兮，觀南人之變態。
竊快在中心兮，揚厥憑而不竢。
芳與澤其雜糅兮，羌芳華自中出。

憚難也誠難
抗足屈蜷局
也

紛郁郁其遠烝兮，滿內而外揚。
情與質信可保兮，羌居蔽而聞章。
令薜荔以爲理兮，憚舉趾而緣木。
因芙蓉以爲媒兮，憚褰裳而濡足。
登高吾不說兮，入下吾不能。
固朕形之不服兮，然容與而狐疑。
廣遂前畫兮，未改此度也。
命則處幽吾將罷兮，願及白日之未暮也。
獨煢煢而南行兮，思彭咸之故也。

譯文 思念心目中的人啊，長久佇立凝望揮泪如雨。良媒不通道路又阻絕啊，鬱結在心裏的話無法寄。蹇蹇忠心使我心情愁苦啊，煩悶鬱積在心底無法抒發。時刻都想告白我的心情啊，情思沈積無法表達。想求浮雲寄信傳言啊，大雁飛得太快太高難以相遇。高辛氏神通廣大啊，有玄鳥來幫助傳送聘禮。想要改變節操順從惡習啊，我以改變初衷克制委屈爲愧。多年來我獨自遭遇憂患啊，滿腔憤懣的心情難以平息。寧可忍受苦痛直到老啊，改變初衷不是我的選擇。明知前面道路不通順啊，但決不改變我認準的眞理。即使到了車傾馬仆的境地啊，心懷這條路也要一直走下去。勒住駿馬切換趕路的車駕啊，造父爲我把車駕。緩緩行進不必急奔跑啊，姑且費些時光等待良機。向着嶓冢山走時日薄西山啊，約定黃昏時刻到那裏。

春天又降臨這大地啊，火熱的太陽慢慢的昇起。我要愉悅快樂啊，沿着長江夏水排解心中的憂愁。採摘叢林中芬芳的香芷啊，拔取長洲的宿莽。惋惜古代聖賢與我不同時啊，和誰一起共賞芬芳香草。除去那成叢的萹蓄和雜菜啊，做成左右相交的佩帶。那佩帶繁多而繚繞啊，被棄的香草如何不枯敗。徘徊消遣心憂啊，觀察南人怎樣的情態。內心也有苦澀的欣慰啊，拋棄憤懣不再有什麼期待。芳香和污穢混雜在一起啊，那芳華不受玷污終會生起。芬芳香郁香氣遠播啊，內在充盈必定會向外飄揚。情感和品質不更移啊，居住即使偏僻也能美名揚。

想讓薜荔做我的媒人啊，又怕舉足攀樹去尋找；想讓芙蓉做我的媒人啊，又怕撩起衣服沾濕我的腳。攀登高處我不高興啊，下水濕足我不願意。本來我就不習慣這些啊，於是在此地猶豫徘徊。全面實行從前的美好計劃啊，我決不動搖去改變法度。命運注定身居幽僻之邊啊，願有番作爲再停止呼吸。孤獨向南走道路多漫長啊，把彭咸敢於直諫作爲榜樣。

惜往日

惜往日之曾信兮，受命詔以昭時。
奉先功以照下兮，明法度之嫌疑。
國富強而法立兮，屬貞臣而日娭。
秘密事之載心兮，雖過失猶弗治。
心純庬而不泄兮，遭讒人而嫉之。
君含怒以待臣兮，不清澄其然否。
蔽晦君之聰明兮，虛惑誤又以欺。

弗參驗以考實兮，遠遷臣而弗思。
信讒諛之溷濁兮，盛氣志而過之。
何貞臣之無罪兮，被離謗而見尤！
慚光景之誠信兮，身幽隱而備之。
臨沅湘之玄淵兮，遂自忍而沈流。
卒沒身而絕名兮，惜壅君之不昭。
君無度而弗察兮，使芳草爲藪幽。
焉舒情而抽信兮，恬死亡而不聊。
獨鄣壅而蔽隱兮，使貞臣而無由。
聞百里之爲虜兮，伊尹烹於庖廚。
呂望屠於朝歌兮，甯戚歌而飯牛。
不逢湯武與桓繆兮，世孰云而知之！
吳信讒而弗味兮，子胥死而後憂。
介子忠而立枯兮，文君寤而追求。

諂諛毀訾而加誣也

封介山而爲之禁兮，報大德之優游。
思久故之親身兮，因縞素而哭之。
或忠信而死節兮，或訑謾而不疑。
弗省察而按實兮，聽讒人之虛辭。
芳與澤其雜糅兮，孰申旦而別之？
何芳草之早夭兮，微霜降而下戒。
諒聰不明而蔽壅兮，使讒諛而日得。
自前世之嫉賢兮，謂蕙若其不可佩。
妒佳冶之芬芳兮，嫫母姣而自好。
雖有西施之美容兮，讒妒入以自代。
願陳情以白行兮，得罪過之不意。
情冤見之日明兮，如列宿之錯置。
乘騏驥而馳騁兮，無轡銜而自載。
乘氾泭以下流兮，無舟楫而自備。

背法度而心治兮，辟與此其無異。
寧溘死而流亡兮，恐禍殃之有再。
不畢辭以赴淵兮，惜壅君之不識。

譯文

追憶曾被重用的時光啊，替君王頒佈號令整飭國家。遵循先王的功業普照下民啊，明確法度絕無含混不清。國家富強法度完善，委任於忠臣君主就安寧。勤勉從政不辭勞苦啊，雖有小過失君主也能寬恕。我心地純正辦事無疏漏啊，竟遭到讒人的嫉妒誹謗。君王怨怒對待臣子啊，不把是非黑白辨清。蒙蔽了君王的耳目啊，他虛言蠱惑卻把聖君欺騙。君不驗證考察啊，毫不思索就放逐忠良。聽信顛倒是非的讒言啊，盛怒之下將我指責。

爲什麼忠良本無罪啊，卻遭到誹謗承受罪過。悲嘆的是表裏如一眞誠守信啊，持守這好品德卻身居幽隱。面對江水幽暗深沈啊，就要忍心投水自沈。個人不過淹沒身軀和名聲啊，痛惜君王受蒙蔽不能醒悟。君王沒有準則又不省察啊，竟使那芳草埋沒在湖澤。如何抒發情思和

屈原見橘根深堅固終不可徙則專一己志守忠信也

展示貞心啊，我將坦然赴死決不會偷生。正是小人蒙騙君王啊，使忠貞之臣無路可行。聽說百里奚是俘虜啊，當初的伊尹善於烹調。呂望曾在朝歌做屠夫啊，甯戚邊敲牛角唱歌邊喂牛。如不是遇上聖明的君王啊，世上誰能知道他們的賢明。吳王聽信讒言不辨忠奸啊，逼死伍子胥卻遭來滅國之憂。介子忠心自焚深山啊，文公醒悟了纔去求尋。封介山不准上山砍柴啊，報答忠良的恩澤。想起介子是自己舊交啊，晉文公身着縞素爲之哭訴。有人懷抱忠信守節而死啊，有人心懷詭詐卻不被疑。不加考察也不核實啊，祇聽信讒佞小人虛假的言辭。芬芳與污濁混雜在一起啊，又有誰肯去細細地分辨。爲何芬芳花草過早夭亡啊，祇因微霜的降臨預示死亡。誠然聽覺不靈而受蒙蔽啊，纔讓那批讒佞小人日益得勢。

自古以來嫉賢就成惡習啊，硬說香草和杜若不可佩戴。嫉妒美人的芬芳啊，醜婦卻自認姣美而賣弄風騷。縱有那西施的美貌啊，那批小人卻擠進來把她取代。我本想陳述表白行爲啊，卻遭來責罰禍患出乎

我預料。是非曲直總會清楚啊，就如同燦爛的群星一樣明瞭。乘着駿馬奔馳啊，卻沒有轡銜任意行。泛起木筏順水而下啊，卻不用船槳任漂游。違背法度硬要一意孤行啊，如上面危險譬喻沒有兩樣。寧願突然死去順流長逝啊，擔心的是國家再次遭遇大禍殃。不說完心裏話就投入深淵啊，我痛惜被蒙騙不知眞情的君王。

橘頌

后皇嘉樹，橘徠服兮。
受命不遷，生南國兮。
深固難徙，更壹志兮。
綠葉素榮，紛其可喜兮。
曾枝剡棘，圓果摶兮。
青黃雜糅，文章爛兮。
精色內白，類可任兮。
紛縕宜脩，姱而不醜兮。

嗟爾幼志，有以異兮。
獨立不遷，豈不可喜兮。
深固難徙，廓其無求兮。
蘇世獨立，橫而不流兮。
閉心自慎，終不失過兮。
秉德無私，參天地兮。
願歲並謝，與長友兮。
淑離不淫，梗其有理兮。
年歲雖少，可師長兮。
行比伯夷，置以爲像兮。

譯文 世間孕育那佳美的橘樹，生來就適應這裏的水土。秉受天賦之命不可遷徙，生長在這南楚國度。根深蒂固難以移植，志向是那樣專一。綠色的葉子白白的花，繁盛美麗使人歡喜。累累枝條銳利的刺，滾圓的果實掛滿樹。由青變黃漸漸成熟，花紋斑駁顏色絢麗。赤黃的皮膚潔白的瓤，表裏如一與君子同質。香氣芬芳風姿秀，容貌美好出類拔萃。

啊！你幼年就有的志向便與衆不同。堅定的興趣絕不從俗，讓人發自內心把你贊賞。根深蒂固難以移植，心胸開闊無庸俗要求。頭腦清醒獨立在大地上，善於思考不媚俗。固守信念堅貞自守，始終沒有任何失誤。懷抱美德無私心，融合蒼天大地的盡頭。我願與你同生共死，願做你永遠的朋友。你有美好的品德與外貌，堅毅性格和高尚的追求。年紀雖幼小，美德可以效法發揚。品行可與伯夷相比，永遠是我心中的榜樣。

遠游

高翔避世求道真也

悲時俗之迫阨兮，願輕舉而遠游。
質菲薄而無因兮，焉託乘而上浮？
遭沈濁而污穢兮，獨鬱結其誰語！

夜耿耿而不寐兮，魂營營而至曙。
惟天地之無窮兮，哀人生之長勤。
往者余弗及兮，來者吾不聞。
步徙倚而遙思兮，怊惝怳而乖懷。
意荒忽而流蕩兮，心愁悽而增悲。
神倏忽而不反兮，形枯槁而獨留。
內惟省以端操兮，求正氣之所由。
漠虛靜以恬愉兮，澹無爲而自得。
聞赤松之清塵兮，願承風乎遺則。
貴真人之休德兮，美往世之登僊。
與化去而不見兮，名聲著而日延。
奇傅說之託辰星兮，羨韓衆之得一。
形穆穆以浸遠兮，離人群而遁逸。
因氣變而遂曾舉兮，忽神奔而鬼怪。

時仿佛以遙見兮，精皎皎以往來。
超氛埃而淑尤兮，終不反其故都。
免衆患而不懼兮，世莫知其所如。
恐天時之代序兮，耀靈曄而西征。
微霜降而下淪兮，悼芳草之先零。
聊仿佯而逍遙兮，永歷年而無成！
誰可與玩斯遺芳兮？長鄉風而舒情。
高陽邈以遠兮，余將焉所程？
重曰：春秋忽其不淹兮，奚久留此故居？
軒轅不可攀援兮，吾將從王喬而娛戲。
餐六氣而飲沆瀣兮，漱正陽而含朝霞。
保神明之清澄兮，精氣入而粗穢除。
順凱風以從游兮，至南巢而壹息。
見王子而宿之兮，審壹氣之和德。

曰：道可受兮，不可傳；
其小無內兮，其大無垠；
毋滑而魂兮，彼將自然；
壹氣孔神兮，於中夜存；
虛以待之兮，無爲之先；
庶類以成兮，此德之門。
聞至貴而遂徂兮，忽乎吾將行。
仍羽人於丹丘兮，留不死之舊鄉。
朝濯髮於湯谷兮，夕晞余身兮九陽。
吸飛泉之微液兮，懷琬琰之華英。
玉色頩以脕顏兮，精醇粹而始壯。
質銷鑠以汋約兮，神要眇以淫放。
嘉南州之炎德兮，麗桂樹之冬榮。
山蕭條而無獸兮，野寂漠其無人。
載營魄而登霞兮，掩浮雲而上征。

抱我靈魂而上昇也霞謂朝霞赤黃氣也

命天閽其開關兮，排閶闔而望予。
召豐隆使先導兮，問大微之所居。
集重陽入帝宮兮，造旬始而觀清都。
朝發軔於太儀兮，夕始臨乎於微閭。
屯余車之萬乘兮，紛溶與而並馳。
駕八龍之婉婉兮，載雲旗之逶蛇。
建雄虹之采旄兮，五色雜而炫耀。
服偃蹇以低昂兮，驂連蜷以驕驁。
騎膠葛以雜亂兮，斑漫衍而方行。

參差駢錯而縱横也以一作其

撰余轡而正策兮，吾將過乎句芒。
歷太皓以右轉兮，前飛廉以啓路。
陽杲杲其未光兮，凌天地以徑度。
風伯爲余先驅兮，氛埃辟而清涼。

開軌導我入道域也一本先下有道字

鳳皇翼其承旂兮，遇蓐收乎西皇。

攬彗星以爲旌兮，舉斗柄以爲麾。

叛陸離其上下兮，游驚霧之流波。

時曖曃其曭莽兮，召玄武而奔屬。

後文昌使掌行兮，選署衆神以並轂。

路曼曼其脩遠兮，徐弭節而高厲。

左雨師使徑待兮，右雷公而爲衛。

欲度世以忘歸兮，意恣睢以擔撟。

内欣欣而自美兮，聊媮娛以自樂。

涉青雲以泛濫游兮，忽臨睨夫舊鄉。

僕夫懷余心悲兮，邊馬顧而不行。

思舊故以想像兮，長太息而掩涕。

氾容與而遐舉兮，聊抑志而自弭。

指炎神而直馳兮，吾將往乎南疑。

覽方外之荒忽兮，沛罔象而自浮。

祝融戒而蹕御兮，騰告鸞鳥迎宓妃。

張《咸池》奏《承雲》兮，二女御《九韶》歌。

使湘靈鼓瑟兮，令海若舞馮夷。

玄螭蟲象並出進兮，形蟉虬而逶蛇。

雌蜺便娟以增撓兮，鸞鳥軒翥而翔飛。

音樂博衍無終極兮，焉乃逝以徘徊。

舒並節以馳騖兮，逴絶垠乎寒門。

軼迅風於清源兮，從顓頊乎增冰。

歷玄冥以邪徑兮，乘間維以反顧。

召黔嬴而見之兮，爲余先乎平路。

經營四方兮，周流六漠。

上至列缺兮，降望大壑。

下峥嶸而無地兮，上寥廓而無天。

視倏忽而無見兮，聽惝怳而無聞。
超無爲以至清兮，與泰初而爲鄰。

譯文

哀痛人世間污濁混亂啊，要飛到遠離塵世的地方。資質淺薄而缺少機緣啊，又憑託什麼昇入上天。遭逢昏君讒佞受誣陷啊，獨自鬱悶又向誰去傾訴！夜不能寐又心緒不寧啊，神魂孤單漂忽直至天明。天地久遠沒有窮盡啊，哀嘆人生總處憂患中。往世的聖賢我未能趕上，未來的賢人我無福相逢。徘徊彷徨我一路遐想啊，惘悵滿腹又心煩意亂。精神恍惚又心神不寧啊，憂傷淒惻更增添了悲情。魂轉眼間遠馳不再返啊，枯槁形體獨自存留。

內心反省而端正操守啊，尋求天地間正氣的來由。清虛安靜纔能安悦啊，淡泊無爲方能自得其樂。所說赤松子乘風脱俗啊，希望秉承他留下的遺風。仰慕僊人的人品美善啊，羨慕往古僊人能夠長在。與大化俱去不見蹤影啊，留得名聲顯揚於世長留。驚異傳說魂依附辰星啊，羨慕韓衆得到天地之靈。形體緘默地漸漸遠離啊，脱離塵世逃遁到僊

境。憑正氣變化高舉遠游啊，靈魂神出鬼沒難以想象。世人暈暈綽綽依稀可見啊，神僊飛昇往來閃着靈光。遠離塵世污濁尋覓僊境啊，永不再返回沈濁的舊都。免除種種憂患無所畏懼啊，世人終究不知我的去處。擔心時序更替永不停息，太陽閃着光輝天天西行。微霜自天而降沈到地面，悲嘆那香草都早已凋零。姑且游蕩徘徊散散憂心啊，多年的努力卻一事無成。誰能共賞這殘留的芬芳啊，衹有對着晨風抒發悲情。高陽氏離現在已遙遠啊，我將從哪裏去求準繩。

重唱道：春天匆匆秋天就要到來啊，爲什麼要久留在那故鄉？黃帝軒轅遙遠無法同游啊，我將隨王子喬游賞玩樂！呑天地四時之氣飲甘露啊，口含朝霞正陽之氣。長保心靈清明精神爽啊，元氣吸入污穢氣全免除。我乘上南風隨它去遠游啊，稍稍休息在那鳳鳥巢穴。見到僊人王子喬恭恭敬敬啊，請教中和正氣是如何純一。王子喬說：道衹可以心領神會啊，不可言傳。它小到沒有間隙啊，大到沒有任何邊際。不可擾亂你的精神啊，便會一切順其自然。夜半會有純一正氣啊，深

夜虛靜得以自存。虛靜地等待它來臨啊，不可急切妄爲占先。衆法要牢記就成功啊，這是高舉遠游的法門。聽了至理妙言就走啊，急匆匆地我就要遠行。效法飛僊在丹丘啊，滯留在僊人不死之舊鄉。清晨我洗髮在日出的湯谷啊，九陽曬身，夕陽西下。飲飛谷瀑布的清醇之水啊，佩帶那樹上最精美的花。開顏溫潤是那樣容光煥發啊，精神純粹內氣又開始壯盛。體質消損更顯得柔美啊，神魂的微妙更加任性游蕩。要贊美的是南方常年溫暖啊，要歡喜的是嚴冬桂樹常青。山裏蕭條野獸無蹤跡啊，野外寂寞遼闊無人聲。承載着僊體適遠登僊啊，又踏着浮雲向上飛昇。

命令那守門之神打開大門啊，他推開天門說正等待我來。招來雲神豐隆引路啊，查訪那太微天帝居住之處。飛越高天九重進天帝之宮啊，造訪了名叫清都的帝宮。清晨從天帝之庭太儀出發啊，傍晚纔到達微閭山中。我聚集了車隊有一萬輛啊，不慌不忙從容而並駕齊驅。八龍駕馭的車隊蜿蜒前行啊，插在車前的雲旗迎風飄揚。樹起雄虹做成的彩旄旗杆啊，紛紛然五色錯雜光彩閃耀。服馬行動矯健而昂首起伏啊，驂馬屈伸自由而奔馳恣縱。車騎奔馳交錯而五彩繽紛啊，浩浩蕩蕩追逐並行在路上。握緊我的繮繩又端正鞭策啊，我就要拜訪東方之神句芒。經過了太皓帝神宮掉頭右轉啊，風神飛廉在前面先導開路。那還沒有大亮啊，已經飛越那廣闊的天地。風神飛廉爲我在前面奔忙啊，掃除濁氣塵埃而格外清涼。鳳鳥恭恭敬敬高舉龍旗啊，我和西皇蓐收相遇在西方。摘下慧星作爲旌旗啊，舉起北斗長柄來發號施令。在紛亂的雲霧中啊，遨游在雲海滾動的波滔之中。時已昏暗景色越來越朦朧啊，呼喚北方太陰神緊隨着我。後面有文昌六星掌管行旅啊，挑選並安排衆神左右侍從。路程漫漫如此長遠啊，駐車向上緩緩地飛昇。雨師在左邊做侍從啊，雷公讓他做護衛。想要登僊而去忘記那塵世啊，我高飛遠舉而又縱情自得。內心歡樂愉悅是自我美善啊，自得其樂姑且求得一時之歡。踏上青雲隨着雲海以遨游啊，忽然從高處看到我的故鄉。趕車人懷戀我心裏更悲傷啊，驂馬祇回頭張望也不再前行。思念老朋友很想見到他們啊，長長嘆息擦不盡熱泪直流。我遲疑不決仍高舉翱游啊，權且壓抑住情思自解悲愁。指向火神祝融居處徑直馳往啊，我將去九嶷山所在的南方。觀察到世外的衹有空曠啊，在無涯的汪洋中任意地航行。火神警告人們不得通行啊，還傳告鸞鳥去請洛神宓妃。演奏起《咸池》和《承雲》啊，娥皇女英更獻上《九韶》侍奉。讓湘水之神湘靈前來鼓瑟啊，叫海若和馮夷翩翩起舞。無角黑龍罔象水怪齊出没啊，身體盤曲蜿蜒形容古怪。雌虹妖嬈啊，鸞鳥高舉盤旋後直入雲霄。音樂繁盛廣博悠長無窮盡啊，於是要離去而又徘徊猶豫。打破合一的節奏迅速飛騰啊，直奔遙遠的北極的寒門。車隊超越疾風來到北海啊，訪北帝顓頊在冰的頂層。經過玄冥神還有坎坷的路啊，昇上宇宙高空再向下回顧。召喚造化之神前來見我啊，替我在前面引導走上坦途。

往來天下四極啊，周游宇宙六合。上到天頂窺縫隙啊，下看大海一片汪洋。俯視幽深渺渺的虛空下界啊，仰視廣遠無垠的宇宙上蒼。視覺剎那間仿佛一切全無啊，聽覺也模模糊糊似有似無。超越無爲進入清虛的境界啊，與本初的混沌元氣爲鄰。

遠出郢都處山林也

卜居

屈原既放，三年不得復見，竭知盡忠，而蔽障於讒。心煩慮亂，不知所從。乃往見太卜鄭詹尹曰：「余有所疑，願因先生決之。」詹尹乃端策拂龜，曰：「君將何以教之？」

屈原曰：「吾寧悃悃款款樸以忠乎？將送往勞來斯無窮乎？寧誅鋤草茅以力耕乎？將游大人以成名乎？寧正言不諱以危身乎？將從俗富貴以媮生乎？寧超然高舉以保真乎？將哫訾栗斯，喔咿儒兒以事婦人乎？寧廉潔正直以自清乎？將突梯滑稽，如脂如韋，以絜楹乎？寧昂昂若千里之駒乎？將氾氾若水中之鳧，與波上下，偷以全吾軀乎？寧與騏驥亢軛乎？將隨駑馬之迹乎？寧與黃鵠比翼乎？將與鷄鶩爭食乎？此孰吉孰凶？何去何從？

不能君之志也一云知其事文

世溷濁而不清：蟬翼爲重，千鈞爲輕；黃鐘毀棄，瓦釜雷鳴；讒人高張，賢士無名。吁嗟默默兮，誰知吾之廉貞？」

詹尹乃釋策而謝曰：「夫尺有所短，寸有所長，物有所不足，智有所不明，數有所不逮，神有所不通；用君之心，行君之意，龜策誠不能知此事！」

譯文

屈原既被放逐，多年都不能再見楚王。竭盡智慧與忠誠，卻被讒言所遮蔽阻隔。他心情煩悶紛亂，不知何去何從。於是去見卜筮之官鄭詹尹問：「我有疑惑，想請先生幫我決斷。」詹尹擺正了蓍草拂拭龜甲說：「你有什麼要問我的？」

屈原問道：「我應該誠實懇切從心裏忠於君王、報效國家呢，還是終生不知疲倦地追隨世俗，使自己沒有困境呢？應該除草助苗，努力去耕種呢，還是游說那些貴人，取得卿相地位和榮耀呢？是該忠諫君之惡、危害自身的生命呢，還是追求世俗貪求名利、苟且偷安呢？是應該超脫世俗長逝遠游，來持守內美呢，還是媚言討好，去奉承君王左右的重臣呢？是廉潔正直、清高自重呢，還是世故圓滑、巧言善辯，沒有自己的立場呢？是要昂首挺胸、志行遠大，像奔馳千里的駿馬呢？還是做那小河裏的水鴨，隨着水流游走，得過且過地保全自己的身軀呢？是要和駿馬並駕齊驅呢，還是在駑馬的身後安步徐行呢？是要和鴻鵠比翼齊飛直衝雲霄呢，還是和那鴨子爭啄殘羹呢？這些哪些是吉，哪些是凶？我將何去何從？當今的世道污濁不清，薄薄的蟬羽卻說有着千斤重，而把千斤的重量說得比羽毛還輕；洪亮的黃鐘遭毀棄，可把那瓦盆敲打得響如雷鳴；讒佞的小人占據高位，氣焰囂張，可那賢明之士卻默默無聞。長吁短嘆沈默不語啊，有誰知道我的廉潔忠貞？」

詹尹於是放下占卜的用具，辭謝道：「尺有所短，寸有所長。世間萬物各有不足，智者也有困惑的時候。日月運行雖有定數也有不可計量的時候，神明可判吉凶可也有無法通曉的時候。以你的心，行你自己的操守，龜卜占策不能決斷你的心志。」

宜隱遁也吾
一作我

漁父

屈原既放，游於江潭，行吟澤畔，顏色憔悴，形容枯槁。漁父見而問之曰：「子非三閭大夫歟？何故至於斯！」

屈原曰：「舉世皆濁我獨清，眾人皆醉我獨醒，是以見放！」

漁父曰：「聖人不凝滯於物，而能與世推移。世人皆濁，何不淈其泥而揚其波？眾人皆醉，何不餔其糟而歠其釃？何故深思高舉，自令放為？」

屈原曰：「吾聞之，新沐者必彈冠，新浴者必振衣；安能以身之察察，受物之汶汶乎！寧赴湘流，葬於江魚之腹中；安能以皓皓之白，而蒙世俗之塵埃乎！」

漁父莞爾而笑，鼓枻而去，乃歌曰：「滄浪之水清兮，可以濯吾纓；滄浪之水濁兮，可以濯吾足。」遂去，不復與言。

譯文

屈原被放逐後，流浪在江潭，邊走邊吟誦詩篇，面容憔悴，形容枯槁。漁父見到此番情景，問道：「您不是三閭大夫嗎？為什麼落到了如此地步？」

屈原答說：「整個世俗貪寵逐利而我卻追求清廉，所有世人醉了，而我卻偏偏頭腦清醒，因此纔被流放。」

漁父說：「聖人對待外物不拘泥固守，能隨世俗而變通。世人都混濁，你何不也攪亂泥水助長濁流？世人都喝得醉醺醺，你何不也食糟飲酒與世同醉？為什麼要苦思冥想，與眾不同，這豈不是自己放逐自身嗎！」

屈原說：「我聽說過，剛剛洗過頭一定要彈掉帽子上的灰土，剛剛洗過澡一定抖抖衣服上的塵埃。怎麼能讓自己潔淨的身體蒙受外物塵垢的玷辱呢？我寧願投身江流，葬身魚腹；怎麼能以自身的潔白，去蒙受塵世的污垢呢！」

漁父微微一笑，蕩舟而去，唱道：「滄浪水清澈見底啊，可以洗滌我的冠纓；滄浪水渾濁不清啊，可以洗我的雙腳。」於是離去，不再與屈原說什麼。

形體易色枝葉枯槁也自傷不遇將與草木俱衰老也

九辯

悲哉！秋之爲氣也。

蕭瑟兮草木搖落而變衰，憭慄兮若在遠行。

登山臨水兮送將歸，泬寥兮天高而氣清。

寂漻兮收潦而水清，憯悽增欷兮薄寒之中人。

愴怳懭悢兮去故而就新，坎廩兮貧士失職而志不平。

廓落兮羈旅而無友生，惆悵兮而私自憐。

燕翩翩其辭歸兮，蟬寂漠而無聲。

雁廱廱而南游兮，鵾鷄啁哳而悲鳴。

獨申旦而不寐兮，哀蟋蟀之宵征。

時亹亹而過中兮，蹇淹留而無成。

悲憂窮戚兮獨處廓，有美一人兮心不繹。

去鄉離家兮徠遠客，超逍遥兮今焉薄！

專思君兮不可化，君不知兮可奈何！

蓄怨兮積思，心煩憺兮忘食事。
願一見兮道余意，君之心兮與余異。
車既駕兮朅而歸，不得見兮心傷悲。
倚結軨兮長太息，涕潺湲兮下沾軾。
慷慨絕兮不得，中瞀亂兮迷惑。
私自憐兮何極？心怦怦兮諒直。
皇天平分四時兮，竊獨悲此廩秋。
白露既下百草兮，奄離披此梧楸。
去白日之昭昭兮，襲長夜之悠悠。
離芳藹之方壯兮，余萎約而悲愁。
秋既先戒以白露兮，冬又申之嚴霜。
收恢臺之孟夏兮，然欿傺而沈藏。
葉菸邑而無色兮，枝煩挐而交横。
顏淫溢而將罷兮，柯彷彿而萎黃。

萷櫹槮之可哀兮，形銷鑠而瘀傷。
惟其紛糅而將落兮，恨其失時而無當。
攬騑轡而下節兮，聊逍遥以相佯。
歲忽忽而遒盡兮，恐余壽之弗將。
悼余生之不時兮，逢此世之俇攘。
澹容與而獨倚兮，蟋蟀鳴此西堂。
心怵惕而震蕩兮，何所憂之多方！
卬明月而太息兮，步列星而極明。
竊悲夫蕙華之曾敷兮，紛旖旎乎都房。
何曾華之無實兮，從風雨而飛颺。
以爲君獨服此蕙兮，羌無以異於衆芳。
閔奇思之不通兮，將去君而高翔。
心閔憐之慘悽兮，願一見而有明。
重無怨而生離兮，中結軫而增傷。

隨君嗜欲而回傾也夫風爲號令雨爲德惠故風動而草木搖雨降而萬物殖故以風雨喻君言政令德惠所由出也

豈不鬱陶而思君兮？君之門以九重！
猛犬狺狺而迎吠兮，關梁閉而不通。
皇天淫溢而秋霖兮，后土何時而得漧？
塊獨守此無澤兮，仰浮雲而永嘆！
何時俗之工巧兮，背繩墨而改錯。
卻騏驥而不乘兮，策駑駘而取路。
當世豈無騏驥兮，誠莫之能善御。
見執轡者非其人兮，故駶跳而遠去。
鳧雁皆唼夫粱藻兮，鳳愈飄翔而高舉。
圜鑿而方枘兮，吾固知其鉏鋙而難入。
眾鳥皆有所登棲兮，鳳獨遑遑而無所集。
願銜枚而無言兮，嘗被君之渥洽。
太公九十乃顯榮兮，誠未遇其匹合。
謂騏驥兮安歸？謂鳳皇兮安棲？

變古易俗兮世衰，今之相者兮舉肥。
騏驥伏匿而不見兮，鳳皇高飛而不下。
鳥獸猶知懷德兮，何云賢士之不處？
驥不驟進而求服兮，鳳亦不貪餧而妄食。
君棄遠而不察兮，雖願忠其焉得？
欲寂漠而絕端兮，竊不敢忘初之厚德。
獨悲愁其傷人兮，馮鬱鬱其何極！
霜露慘悽而交下兮，心尚幸其弗濟。
霰雪雰糅其增加兮，乃知遭命之將至。
願徼幸而有待兮，泊莽莽與野草同死。
願自直而徑往兮，路壅絕而不通。
欲循道而平驅兮，又未知其所從。
然中路而迷惑兮，自壓按而學誦。
性愚陋以褊淺兮，信未達乎從容。

竊美申包胥之氣盛兮，恐時世之不固。
何時俗之工巧兮，滅規矩而改鑿。
獨耿介而不隨兮，願慕先聖之遺教。
處濁世而顯榮兮，非余心之所樂。
與其無義而有名兮，寧窮處而守高。
食不媮而爲飽兮，衣不苟而爲溫。
竊慕詩人之遺風兮，願託志乎素餐。
蹇充倔而無端兮，泊莽莽而無垠。
無衣裘以禦冬兮，恐溘死而不得見乎陽春。
靚杪秋之遙夜兮，心繚悷而有哀。
春秋逴逴而日高兮，然惆悵而自悲。
四時遞來而卒歲兮，陰陽不可與儷偕。
白日晼晚其將入兮，明月銷鑠而減毀。
歲忽忽而遒盡兮，老冉冉而愈弛。

心搖悅而日幸兮，然怊悵而無冀。
中憯惻之悽愴兮，長太息而增欷。
年洋洋以日往兮，老嵺廓而無處。
事亹亹而覬進兮，蹇淹留而躊躇。
何泛濫之浮雲兮？猋壅蔽此明月。
忠昭昭而願見兮，然霠曀而莫達。
願皓日之顯行兮，雲蒙蒙而蔽之。
竊不自料而願忠兮，或黕點而污之。
堯舜之抗行兮，瞭冥冥而薄天。
何險巇之嫉妒兮，被以不慈之僞名。
彼日月之照明兮，尚黯黮而有瑕。
何況一國之事兮，亦多端而膠加！
被荷裯之晏晏兮，然潢洋而不可帶。
旣驕美而伐武兮，負左右之耿介。

安卧垂拱萬
國治也

憎慍惀之脩美兮，好夫人之慷慨。
眾踥蹀而日進兮，美超遠而逾邁。
農夫輟耕而容與兮，恐田野之蕪穢。
事綿綿而多私兮，竊悼後之危敗。
世雷同而炫曜兮，何毀譽之昧昧。
今脩飾而窺鏡兮，後尚可以竄藏。
願寄言夫流星兮，羌倏忽而難當。
卒壅蔽此浮雲兮，下暗漠而無光。
堯舜皆有所舉任兮，故高枕而自適。
諒無怨於天下兮，心焉取此怵惕！
乘騏驥之瀏瀏兮，馭安用夫強策？
諒城郭之不足恃兮，雖重介之何益？
邅翼翼而無終兮，忳惛惛而愁約。
生天地之若過兮，功不成而無效。

願沈滯而不見兮，尚欲布名乎天下。
然潢洋而不遇兮，直怐愗而自苦。
莽洋洋而無極兮，忽翱翔之焉薄？
國有驥而不知乘兮，焉皇皇而更索？
甯戚謳於車下兮，桓公聞而知之。
無伯樂之善相兮，今誰使乎譽之？
罔流涕以聊慮兮，惟著意而得之。
紛忳忳之願忠兮，妒被離而鄣之。
願賜不肖之軀而別離兮，放游志乎雲中。
乘精氣之摶摶兮，騖諸神之湛湛。
驂白霓之習習兮，歷群靈之豐豐。
左朱雀之茇茇兮，右蒼龍之躣躣。
屬雷師之闐闐兮，通飛廉之衙衙。
前輕輬之鏘鏘兮，後輜乘之從從。

載雲旗之委蛇兮，扈屯騎之容容。

計專專之不可化兮，願遂推而爲臧。

賴皇天之厚德兮，還及君之無恙！

【譯文】悲涼啊，這被秋之蕭風所籠的大地！蕭瑟的秋風啊，百草凋零，留下衰敗的天地。悲苦凄慘的心啊，如同獨自飄泊於無邊的孤寂。登高遠望，臨水嘆逝啊，又將告別一個四季的盡期。空曠的宇宙啊，天高氣爽；平靜的流水啊，明澈澄清。悲傷愁苦不斷唏噓，痛苦的心啊被陣陣涼風侵襲。失意的靈魂啊，離開故宇尋求新的征程。坎坷不平的道路啊，貧士壯志意難平。孤獨又寂寞啊，客旅他鄉沒有相伴的朋友。失意而又哀傷啊，哀憐之情獨自生。燕子翩翩飛向溫暖的南方，知了停止長鳴空寂無響聲。大雁和諧鳴叫着高翔啊，鵾鷄唧唧喳喳不斷地悲鳴。孤獨的我通宵不能入夢鄉，被蟋蟀哀鳴觸動的幽情伴我到天明。時光悄悄流逝衰暮將來臨，可我還總停留原地無所成。

憂苦窮困啊又孤寂無依，有一美人啊心中不歡喜。背井離鄉啊流落他鄉的游子，漂蕩到何時纔有歸期？思念君王的心意啊未曾更改，多麼無奈啊，聖君全然不知。積累着載不動的愁和思，憂心如焚連吃飯做事都忘記。願一見君王面啊把心意表白，可嘆君主的心啊與臣子相異。車已駕好我不得不離去，見不到君王啊內心悲傷不已。倚着車欄我長嘆息，熱泪落下把車前橫木都浸濕。憤懣至極仍不能與君斷，我心亂如麻再也不能安寧。內心的憂傷何時到盡頭，內心忠誠正直永遠堅不移。

上天公平地分配春夏秋冬，唯獨這凄涼的秋天令我憂愁。冰涼的寒露撒滿了百草，梧楸刹那間枝疏葉落紛紛凋零。昭昭陽光離開遠去，漫漫長夜接管大地。芳菲壯盛年華已成過去，窮困潦倒我吟嘆悲秋。白露警告秋天的降臨，秋天過去又迎來冬天的嚴霜。孟夏那萬物的生機已收斂，那繁盛的景象早就無蹤影。樹葉枯萎失去嫩綠的光澤，空枝葉落縱橫交錯雜亂。萬物凋謝將要衰敗，枝葉枯黃顏色褪去，稀疏慘淒。樹木光禿高高聳立可悲可泣，形體受摧殘病體又淤積。敗葉與哀草相雜着紛紛搖落，可惜它們已經失失盛壯時光。拉住馬的韁繩停車暫歇，優閑漫步在這裏徜徉。歲月如水就要完結，擔心壽命不長我要與世告別。悲痛我生不逢時的愁腸，遇上這混亂不寧的世相。孤獨寂寞獨倚着西堂，聽蟋蟀悲鳴着傾訴憂傷。那叫聲讓內心憂懼起伏震蕩，百千憂思湧上心房。仰望明月長長嘆息，在星夜下徘徊直至天亮。

暗自悲傷那蕙花曾競相開放，播散濃郁芬芒在美麗的花房。爲什麼累累花朵卻不曾結果，遇到秋天的風雨便香消雲散。原以爲君王獨愛佩帶這蕙芳，哪知道待她和別的花草一樣。可憐這曲折的心思不能告訴君王，我將要離開君王到遠方翱翔。我內心哀憫又淒慘，但願再見一次君王，讓我訴衷腸。深念我無罪而遭生離，鬱結憂思那是在思念君王，君門深重不能讓我如願以償。猛犬狂吠衝我迎面撲來，不能通行的是門關和橋梁。秋雨連綿不絕往下降，何時潮濕的大地不再是汪洋。塊然獨守在這荒蕪的土地上，仰望浮雲長長嘆息它遮住了太陽！

爲何時俗這樣善於鑽營？背棄規矩改變正常的法度。拒絕那飛奔的駿馬不用，硬要鞭策劣馬讓它上路。難道當今世上再無駿馬良駒，其實是無人可以將它駕馭。駕車的人都是冒充的糊塗蟲，所以駿馬跳躍着遠遠離去。野鴨一類水鳥吞食着精米和水草，驕傲的鳳凰也衹得展翅遠離。圓行插孔怎能放進方形榫頭，我就知道它一定相抵觸。衆多的凡鳥都有地方棲居，唯獨鳳鳥孤獨無處把身棲。我本想保持緘默不再言語，君王的恩澤又湧上心頭。姜太公九十歲纔榮耀揚名，誠然是先前未遇到賢明的君王。誰知道良驥何處是歸宿，誰知道鳳鳥棲身在何方？世風衰敗與往已不再同，如今的相馬人衹看重外表膘肥。駿馬良駒全部隱藏不再見啊，鳳凰也都高飛不下遠翱翔。鳥獸尚且懷戀有德的君王，爲何責怪賢士不在朝廷上。良驥決不貿然尋駕車，鳳鳥決不貪吃亂擇食。君王不辨善惡輕易將我棄，又如何施展抱負效君王。

要從此沈默與君斷絕，又怎敢忘懷當初您的厚德。我獨自悲秋把心傷，憤悶濃愁何時了。

漫天的嚴霜白露相錯落，心裏還希冀他們不要成功。大雪紛紛揚揚擁向大地，深知不幸的命運就要顯形。還僥幸希望等待您能醒悟，卻要腐爛在荒野與草命相同。想親自抄捷徑去游說，無奈卻道路阻塞車駕難驅。想要順着大路策馬而往，又不知平坦大路在何方。路到中途就陷入了迷茫，壓抑憤懣把「溫柔敦厚」吟唱。我的天性本來就愚笨又淺薄，遇到這樣的挫折誠然難從容。我雖贊美申包胥的高昂志向，又擔心時代不同難以勉強。爲什麼當今的風氣鑽營取巧，把那方圓規矩妄自改換。我光明正大絕不隨波逐流，願效法先聖繼承老傳統。處於溷濁之世獲取高位，這本來就不是我心中認爲的光榮。與其採用卑劣手段取得虛名，我情願貧困一生也要將操節守，決不苟且求衣裳暖融融。我贊美詩人留下的遺風，我願走不白白吃飯的君子道路。委曲悲傷的心無邊無沿，飄零在茫茫野外何處是盡頭。沒有禦寒的棉衣怎能抵禦寒風，害怕突然死去再見不到陽春。

安靜的暮秋夜正長，心頭纏繞着無盡的憂愁。春秋漸逝年事高，於是獨自惆悵獨自憂。四時更替一年又要結束啊，暑去寒來哪能共存處。陽光漸漸昏暗落西山啊，明月也陰晴圓缺不能常圓滿。歲月匆匆就要完啊，衰老慢慢到來心志也跟着朽。內心時有喜悅總生起些盼望，終究惆悵這都是白日夢。胸中沈痛而又淒涼啊，長長的嘆息一聲又一聲。時光荏苒不停流逝啊，衰老的人在這空曠的世界無處棲身。勤勉國事希望得到進用啊，我還久留在此不忍離去。

爲何浮雲翻滾佈滿太空啊，快速昇起把明月遮蔽。忠誠正直的心希望君王能看見啊，陰風陰雲阻擋無法知曉。希望太陽顯耀運行啊，可是雲氣迷蒙總是將它遮蓋。我不自量想獻出一片忠心啊，小人無恥謊言將我誣蔑和陷害。唐堯虞舜的品行是何等高尚啊，他們有着觸及蒼天的眼光。可那小人出於嫉妒的心理啊，用「不慈」、「不孝」的罪名加以毀謗。堯舜像日月那樣照耀天下啊，尚且還有點點的瑕痕。何况這一國大事啊，更是頭緒繁多糾纏不清。穿着柔柔的荷葉衣眞漂亮啊，可惜空蕩蕩卻不能繫腰帶。你總是誇耀自己美好又勇武啊，自信這幫近臣可以依恃。厭惡忠誠善良的美德之人啊，喜好裝腔作勢的小人。衆小取得重用啊，忠良被疏離你越來越遠。農夫知道如果荒廢耕種啊，田野就長滿雜草而凋敝。人們紛紛營私舞弊啊，擔心社稷那崩潰的前途。世上「人云亦云」的風氣啊，爲什麽是非顛倒。現在對鏡脩飾來自察啊，尚且逃過危難和保全性命。願流星傳送我忠心給君王啊，它飛來飛去難以遇上。日月都被浮雲遮蔽，整個大地昏暗一片沒有光亮。

聖明的堯舜選賢任能啊，纔高枕無憂自身逍遙。自認沒有辜負天下人啊，就不會感到憂愁和恐懼。乘上駿馬迅速前馳啊，何必鞭撻費力強督促。城郭再堅固也不可靠啊，盔甲再堅厚又有什麽用處。小心翼翼沒有好結果啊，心中煩悶憂愁排遣不掉。人生天地間猶如過客啊，功名不成又壯志未酬。本想就這樣走歸隱之路啊，又想揚名四海之內。結果飄飄蕩蕩未受重用，空懷愚忠自討苦嘗。曠野茫茫無盡頭啊，孤獨漂泊何處是歸處。國有良駒卻不知乘啊，還急匆匆地另去求索。甯戚在車下謳歌啊，齊桓公就能夠識才善任。沒有善於相馬的伯樂啊，誰還能把賢才來贊譽啊？惆悵痛哭姑且發泄憂愁啊，君王專心纔能體察忠良。誠誠懇懇渴望效忠啊，卻被小人的嫉妒所阻擋。讓我這輕賤身軀與君別離啊，我要在雲天中閑游蕩。乘着團團精氣飛騰啊，在那成群的神靈中馳騁追逐。駕着飛動的白虹飄動啊，又穿過那衆多的神靈。左邊有南方大神翩翩飛翔，右邊有東方蒼龍在飛舞。雷師在後面鼓起隆隆雷聲啊，風神前面開路呼呼作響。前面有輕車悅耳的鈴聲啊，後面的輜重車行進從容。車上的雲旗隨風飄舞啊，成群車隊做護衛威武雄壯。拳拳忠貞的心終不動搖啊，但求變成現實美好的願望。仰仗皇天深厚的恩德啊，保佑君王無病無災永安康！